El Dios de Nuestros Padres

J. JUAN DIAZ VILAR, S.J.

NORTHEAST CATHOLIC PASTORAL CENTER FOR HISPANICS
New York, N.Y.

Nihil Obstat: Otto L. García, J.C.D.
                 Diocesan Censor

Imprimatur: Francis J. Mugavero, D.D.
                 Bishop of Brooklyn

Brooklyn, New York, March 10, 1981

Imprimi Potest: Joseph C. Towle, S.J.
Praep: Prov. Neo-Eboracensis

Library of Congress Catalog Number: 81-081260

ISBN 0-939832-00-3

Fotos: J. Juan Díaz Vilar, S.J.

Portada: Gloria Ortiz

Impreso por
Spanish-American Printing Corp.
New York, N.Y. 10011

Indice

v

CAPITULO VI

Presentación

En este libro no se trata de contar un cuento, ni una novela de aventuras que han vivido otras personas.

Es un libro que trata sobre todo de Dios y de ti.

No es un libro para leerlo de un tirón y decir: "Ya lo terminé".

Es para reflexionar despacio y, sobre todo, para orar.

Los temas están tomados de la Biblia. Por eso es muy conveniente que al abrir este libro, tengamos en la otra mano el más importante de los libros: LA BIBLIA.

Estas páginas no intentan decir nada nuevo. Sólo pretendo explicar y aplicar a nuestra vida, algunas de las verdades que Dios nos comunicó con su Palabra.

Verás que cada capítulo tiene dos partes. En la primera se pretende explicar un poco el tema, para que crezcamos en nuestro conocimiento de la Biblia. La segunda parte, contiene meditaciones y oraciones muy breves, tratando de aplicar la Palabra de Dios a la realidad y a las preocupaciones de nuestra existencia.

Algunas de estas oraciones las he retransmitido en los últimos meses por radio WADO, en el programa titulado "EL MENSAJE CRISTIANO". Han sido muchos los que han escrito desde sus hogares, desde hospitales y también desde las cárceles, pidiendo copias de estas meditaciones. A todas estas personas tengo que darles sinceramente las gracias, porque ellas sin saberlo, me han animado a trabajar en esta publicación.

J. Juan Díaz Vilar, S.J.
Brooklyn, 1 de Enero de 1981
Solemnidad de Sta. María Madre de Dios

Prólogo

Todo ser humano, también tú y yo, hemos recibido de nuestros padres, por pobres que hayan sido, muchas cosas: la vida, el tipo de sangre, el idioma, la educación . . . Nosotros los hispanos, también hemos recibido de ellos nuestra RELIGION CATOLICA.

Mis padres también han sido emigrantes en este país y yo les estoy muy agradecido de esta fe que me transmitieron. La fe en ese Dios de la Biblia. Un Dios Bueno, al que ya desde muy niño me enseñaron a llamarle "Papá Dios".

Las otras cosas que me han dejado, un día tendré que abandonarlas en esta vida, pero la religión católica me va a servir para vivir aquí y también me ofrece una esperanza: Un día me uniré con mis antepasados, con Dios, con la Virgen y los Santos . . . para ser feliz para siempre.

Esta creencia en "Papá Dios" la hemos recibido de nuestros antepasados sin merecerla y sin pedirla. Fue un regalo de ellos. El mejor regalo que hemos podido recibir en nuestra vida.

El Primer Gemido Humano

Cuando un bebé empieza su vida en este mundo lo primero que hace es lanzar a los cuatro vientos un gemido de alegría, de sorpresa, de esperanza, de gratitud, de petición de ayuda. Al escuchar ese gemido todo ser humano se alegra y sonríe con esperanza. Si el bebé al nacer pudiera hablar, sus primeras palabras serían muchas preguntas dirigidas a quien quiera escucharlas: "¿Qué es esto?" "¿Quiénes son ustedes?" "¿Quién me ha hecho un bebé?" "¿Por qué estoy aquí?" "¿Para qué estoy aquí?"

No hay duda, nuestra mente aparece en este mundo vacía de conocimientos; pero llena de signos de interrogación. Las respuestas a esas preguntas están continuamente siendo formuladas y modificadas por la experiencia de la vida de cada uno. El bebé llegará a ser anciano pero las preguntas del primer gemido no acabarán de ser plenamente respondidas.

Nada hay tan hermoso como el acto de una madre o un padre que toma la mano de su bebé, la pone en sus labios y le enseña a decir: "Bo-ca", o en sus ojos y le dice: "Vis-ta"; o en su cabeza y pronuncia muy claro: "Ca-be-za". Así hemos empezado todos a conocer y experimentar el mundo, sus cosas y personas; y así también hemos comenzado a creer que hay un Dios al que llamamos "Papá".

Ser Cristiano

Nosotros somos cristianos y nos llamamos católicos; esta fue la religión que nos enseñaron nuestros antepasados.

Pero ser cristianos no es sólo saber que existe la Biblia; tampoco basta con asistir los domingos a Misa y rezar de vez en cuando.

Ser cristiano es, sobre todo, un modo concreto de responder a las preguntas de todo gemido humano y un modo de vivir y comportarse en nuestra existencia. Estas respuestas no las tiene que inventar cada cual sino que deberemos buscarlas con sencillez y humildad en ese regalo de Dios que se llama LA BIBLIA.

Tampoco puede, cada uno, vivir como le parezca. Ser cristiano exige llevar a la práctica de nuestra vida, los valores y las actitudes reveladas por Dios.

Ser cristiano es imitar el camino de los santos, los amigos de Dios, vivir el compromiso de nuestra fe, como María, la Madre de Dios, seguir a Jesús, el Hijo del Altísimo.

Ser cristiano no significa tomar una postura triste en nuestra existencia, porque el cristiano tiene que vivir consciente de que se es hijo de un Padre Bueno, que nos acompaña en nuestro "desierto" y nos espera al final para hacernos felices.

Un poeta de nuestra lengua, escribió estos versos para poner en su tumba:

"Méteme, Oh Padre Eterno, en tu pecho
misterioso hogar
dormiré allí, pues vengo deshecho
del duro bregar."

Ser cristiano es este grito de esperanza desde el dolor y la angustia de la vida. En ese "misterioso hogar" ya descansan muchos de nuestros antepasados. Ellos nos han transmitido nuestra fe católica, y allí, en el Hogar del Padre, nos esperan, para vivir juntos y eternamente felices.

Allí sí. Allí encontraremos la respuesta a todas nuestras dudas; allí ya no tendremos que gemir, pues no habrá dolor, viviremos la sorpresa de una DICHA ETERNA.

Ser cristiano es mirar al pasado con agradecimiento, por todo lo que Dios ha hecho en mi historia y en la de mis antepasados, pero es también tener los ojos puestos en ese horizonte futuro, en el que compartimos como hermanos la felicidad definitiva, junto al Padre.

Digamos por último, que ser cristiano no es algo puramente individual, es algo que tenemos que compartir, porque la esencia del cristianismo es el AMOR. Este compartir significa comprometernos en la vida con nuestros hermanos; perdonando, sirviendo y amando; y también es comunicar esta fe y estos valores a nuestros hijos: es dejar el futuro preñado de ESPERANZA Y AMOR.

Este Libro

Con mucho gusto les presento este libro que, como dice el autor, no es, sobre todo, para ser leído, sino para reflexionar y orar con la Biblia en la otra mano.

El autor confirma un punto muy importante: la BIBLIA, un libro escrito hace muchos años, sigue hablando, proyectando luz y sabiduría a los hombres y mujeres de nuestro tiempo.

La segunda parte de cada capítulo, nos presenta reflexiones sobre nuestra vida en el mundo de hoy. Estas reflexiones nacen de la propia meditación del autor sobre la Escritura. Yo espero que esto ayudará al lector a reflexionar también sobre nuestra vida y nuestro mundo a la luz de la BIBLIA.

El libro puede ser un medio estupendo para que todos profundicemos en la fe que hemos recibido de nuestros padres. Pero también deberá ser un instrumento para que nosotros continuemos transmitiendo esta fe a las próximas generaciones.

Entregar a nuestros jóvenes la religión católica, no es dejarles riquezas materiales, pero sí es dejarles la mayor de las riquezas: la fe y la esperanza en un Dios Bueno que nos creó, que nos acompaña en nuestra lucha y nuestro "éxodo por la vida", que sigue viviendo con nosotros presente en la Eucaristía, en los hermanos, en la Biblia como Palabra del Padre, y también se nos muestra con un rostro maternal en esa Mujer a la que llamamos María, la Madre de Dios.

Monseñor René Valero,
Obispo Auxiliar de Brooklyn

*"La dignidad de la persona humana
no está, ni en su dinero, ni en su raza,
ni en su sexo ... está en que es
imagen de Dios."*

I

Creo en Dios Creador

La Creación

Al comenzar la lectura del Génesis, nos encontramos con dos narraciones de la Creación. La primera está sacada de las tradiciones de los pueblos del Norte. La segunda, que es más antigua, se basa en las tradiciones de los pueblos del Sur.

Pero no existen contradicciones entre estas narraciones, sino que se complementan.

Algunas personas encuentran dificultad cuando creen, hay que interpretarlas al pie de la letra, o cuando comparan lo que dicen, con lo que afirma la Ciencia.

¿Cómo es posible que dentro del relato de la Creación se nos diga, por ejemplo, que Dios creó la luz en el día primero y sin embargo no crea el sol, la luna y las estrellas hasta el día cuarto?

Si es verdad, como afirman hoy muchos científicos, que la persona humana aparece por evolución. ¿Qué hay de verdad en la historia de Adán y Eva?

No, esto no son dificultades reales si se entiende la Biblia y lo que nos quiere comunicar correctamente.

Ya en el siglo diecinueve un famoso Cardenal —el Cardenal Baronius— decía: "La intención de la Sagrada Escritura es enseñarnos cómo se va al cielo, y no cómo van los cielos".

Ciertamente ni Dios ni el Pueblo inspirado por El, están interesados en contarnos la historia de la tierra, ni los cambios, ni los datos científicos, ni la historia universal de los hombres. Para esto nos dejó a nosotros, y muy especialmente a los científicos, con la tarea de investigar y descubrir.

Lo que sí intenta la Biblia es contarnos la Historia de la Salvación y no la historia concreta de una época.

Pretende transmitirnos una esperanza de salvación por medio del lenguaje y de los conocimientos de la cultura del pueblo, desde su modo de ver el mundo, los valores, las normas, los ritos y las costumbres de la comunidad.

Por medio de esta cultura y lenguaje, se nos expresa lo que realmente es el propósito de la Biblia: *El mensaje de liberación y salvación destinado a todos los hombres.*

Los Mensajes de la Creación

Las dos narraciones son importantes. En ellas no existe contradicción, sino que se complementan para ofrecernos un contenido más rico, como ya indicábamos anteriormente.

En la primera narración el Universo está descrito como un gran templo que Dios pone como hogar de los hombres. En él, el sol y otras cosas que muchas religiones adoraban como a dioses, no son más que criaturas creadas por Dios. Todo está hecho y preparado para la persona humana.

La segunda narración es como una meditación profunda sobre los principales temas relacionados con la vida humana: sentido del trabajo, significado de la pareja, igualdad entre hombre y mujer, señorío de la persona sobre las cosas, etc.

Comprendidas así, estas dos narraciones, no vienen a enseñarnos curiosidades científicas o históricas, son mensajes.

Veamos algunos de estos mensajes:

a. *Dios es el Creador y Señor de todo lo que Existe*

La exposición de la Creación en siete días, tal como aparece en la primera narración, no tiene un contenido temporal: no significa que Dios fue haciendo cada día un poco de la Creación. Lo que hacen los autores es agrupar *todo lo que existe*, incluido el descanso, en siete grupos y al final siempre se nos dice que *todo es obra de Dios*:

Dios crea el cielo y la tierra, la luz, las aguas, el firmamento, la hierba, los árboles, los peces, las aves... y también a la persona humana.

Dios va diciendo "HAGASE" y todo se hace según su deseo y su voluntad. Sólo cuando va a crear a la persona humana se cambia de expresión y entonces dice: "HAGAMOS". Este cambio de lenguaje no es pura casualidad, con esto, se quiere expresar una acción más personal de Dios.

b. *Todo lo que Crea es Bueno*

"Y vio Dios que era Bueno" es una frase que se repite a lo largo de la primera narración. Y al final esta idea queda como más acentuada: "Y vio Dios todo lo que había hecho: y era muy bueno".

Es esta una idea importante que se nos quiere transmitir: que Dios no creó el mal o las cosas malas. La explicación al origen del mal se nos dará en otro capítulo, pero entonces no será Dios su autor, sino el pecado del hombre.

c. La Persona Humana es Creada a Imagen y Semejanza de Dios.

Son palabras de la Biblia. Pero, ¿qué significan? ¿Significan que Dios nos hizo físicamente parecidos a El? ¿Que nos hizo algo así, como dioses en pequeño? No. La semejanza con Dios está expresada, sobre todo, en la misión que El da a la persona humana: DOMINAR EL MUNDO y ser SEÑOR de lo creado. Esta idea se repite de distintas formas.

Se nos dice que Dios *entrega* todas las cosas (Gén. 1, 29) a la persona para que *domine* (1, 28); que pone al hombre en el jardín para que lo *guarde y lo cultive* (II, 16); que le llevó todas las cosas para que les ponga *el nombre,* (II, 19s). Lo cual, es una manera de decirnos que el hombre tiene dominio en la Creación y que él también colabora.

El trabajo no es un castigo, ni una esclavitud. La persona humana continúa con el trabajo la obra creada por Dios. Por eso el trabajo debe ser un modo de realizarnos como personas humanas. El trabajo debe dignificarnos, no esclavizarnos.

Por lo tanto, sobre todo esta tarea de colaboración y dominio sobre las cosas, es lo que le dan a la persona humana su identidad de imagen de Dios. Pero esta misión de dominar no es una imposición necesaria, es una vocación, una invitación. Será la persona libremente quien deberá responder positiva o negativamente.

La respuesta positiva eleva a la persona, le da dignidad y la hace también creadora. La respuesta negativa, la rebaja y sitúa a la persona en el mundo del pecado. En este sentido, la libertad es posibilidad de crear o de pecar.

d. Dios Crea a la Persona Humana: Macho y Hembra

Dios no sólo creó a la persona humana, sino que creó lo

que hoy con nuestro lenguaje llamamos matrimonio y sexualidad.

La Biblia nos dice que después de haber creado todo y ver que todo era bueno, Dios pone un "pero". El hombre no encontró ningún ser semejante a él para que le ayudara, y entonces es cuando el Creador dice: "No es bueno que el hombre esté solo. Haré pues un ser semejante a él para que le ayude". (Gén. II, 18).

En estas palabras se nos revelan sobre todo dos aspectos importantes:

La razón de la sexualidad es también afectiva: la mujer y el hombre van a ser compañeros que deben ayudarse mutuamente.

Por otra parte aparece la mujer como un ser igual al hombre, y por tanto imagen de Dios igual que él. La mujer no es un ser de segunda categoría, entre el hombre y el animal. Es un ser "semejante" al hombre; por eso el hombre al verla exclama: "Esta sí que es hueso de mis huesos y carne de mi carne".

En la narración se nos recalca más esta idea de igualdad y semejanza cuando dice "y se hacen una sola carne". Esta expresión traducida a nuestro lenguaje tendríamos que entenderla "y se hacen un solo ser".

La descendencia, los hijos, serán fruto de esta unión en la amistad y la compañía, de ninguna manera, de la casualidad ni del instinto. En este punto la narración nos ofrece una idea del matrimonio que no existía en ninguno de los pueblos primitivos contemporáneos al Pueblo Hebreo.

A veces se acentúa en el matrimonio su función de procrear. Evidentemente que este aspecto está muy claro en la narración, pero no es único.

Por una parte, como acabamos de decir, la procreación será fruto de esa unión hasta formar un solo ser; pero además se nos habla de una tarea educativa.

Dios dice: "Sean fecundos y multiplíquense. Llenen la

tierra y sométanla. Manden a los peces del mar, a las aves del cielo y a cuanto animal viva en la tierra". (I, 28)

No se trata, por lo tanto, simplemente de dar vida a nuevos seres, sino de multiplicar en otros seres, los hijos, la imagen de Dios. Pero esta imagen tiene como característica importante el *dominar* sobre las cosas y no el que las cosas dominen sobre la persona.

El Pecado Origen del Mal

Dios había trabajado creando un mundo feliz y bello que la persona humana lo cuidara y ejerciera sobre él su señorío. Pero Dios pone un límite simbólico: "Puedes comer de todos los árboles del jardín; pero del árbol del conocimiento del bien y el mal no comas; porque el día que comas de él tendrás que morir". (II, 17)

Aparentemente la prohibición es algo pequeño entre tantos árboles sólo uno les está prohibido. Sin embargo esta prohibición refleja dos realidades:

— el hombre no es dueño absoluto
— el hombre es libre

Dios es quien abre las fronteras y quien pone los límites. La persona puede no respetarlas porque es libre, pero entonces será responsable de sus actos, y Dios se lo exigirá porque el hombre no es el dueño absoluto.

La Tentación

La narración de la tentación es de una gran riqueza sicológica. El símbolo que aparece como tentador es una serpiente, animal muy utilizado en las diversas leyendas de las culturas primitivas vecinas del Pueblo Hebreo. Pero veamos cómo se desarrolla el diálogo tentador:

a. La serpiente aparece como si no estuviera bien informada, y tratando de mostrar a Dios como caprichoso, dice así: "¿Así que Dios les ha dicho que no coman de ningún árbol del parque?" La respuesta de la mujer fue clara, y tajante, pero inexacta:

"¡No! Podemos comer de todos los árboles del jardín, solamente del árbol que está en medio del jardín nos ha prohibido Dios comer o tocarlo, bajo pena de muerte".

De hecho Dios no había hablado nada de no tocarlo, es la mujer quien añade esta prohibición, reflejando así posiblemente un cierto miedo e inseguridad.

b. La serpiente ahora se muestra con sabiduría, perfectamente informada y con total seguridad en lo que afirma:

"¡Nada de pena de muerte! Lo que pasa es que Dios sabe que, en cuanto ustedes coman de él, se les abrirán los ojos y serán como Dios, versados en el bien y el mal". Viene a decirles que Dios quiere mantenerles esclavos, no libres.

El contenido de su afirmación es muy claro: desobedeciendo a Dios, traspasando los límites del dominio que les había puesto, se superarán; ya no serán imagen de Dios; serán realmente Dios.

La Caída

"La mujer vio que el árbol era apetitoso, que atraía la vista, y que era muy bueno. Tomó de su fruto, comió y se lo pasó enseguida a su marido, que andaba con ella, quien también comió".

Desde este momento aparecen en la pareja dos sentimientos profundos:

— vergüenza: "estaban desnudos"

— miedo: se escondieron al escuchar los pasos de Dios.

Dios es el Señor, y viene a pedirles cuenta de su conducta, del uso de su libertad.

En el diálogo de la pareja con Dios encontramos otros dos elementos dignos de notar:

— Intentan poner la responsabilidad de su acto en otro; el hombre en la mujer, la mujer en la serpiente.

— Aparece la primera ruptura, falta de comunicación en

la primera pareja: El pecado les ha separado y convierte la comunicación y amistad, en decepción y separación: "La mujer que me diste por compañera . . ." En esta frase se ve también como una acusación contra Dios.

Como consecuencia de esta ruptura de los límites de su dominio sobre las cosas —las cosas dominaron, no fue el hombre el que dominó sobre las cosas— Dios les anuncia:

— Una vida dura es la que van a vivir sin ser señores de lo creado; van a estar sometidos al dolor, la tentación, la muerte . . .

— Pero también, una promesa de restauración y salvación: Dios le dice a la serpiente que la descendencia de la pareja, la aplastará y la dominará:

"Haré que haya enemistad entre ti y la mujer, entre tu descendencia y la suya, ésta te pisará la cabeza mientras tú te abalanzas sobre su talón".

Después, esta promesa de salvación se irá identificando con Jesús, Hijo de María, y su Pueblo: LA IGLESIA.

Caín y Abel

En el capítulo cuarto se nos cuenta cómo la primera pareja se alegró ante el nacimiento de los hijos. Pero esa alegría no duró. Aquellos hijos nacieron en un mundo de pecado. Pronto la dicha se tornó en lágrimas ante el asesinato.

Caín era el hermano mayor y era labrador. Abel era pastor. Los dos ofrecían sacrificios a Dios, pero a Dios le agradaban más los sacrificios de Abel que los de Caín, porque Abel era de mejores intenciones.

Caín sintió envidia y decidió matar a su hermano

"Caín dijo después a su hermano: 'Vamos al campo'. Y cuando estuvieron en el campo, Caín se lanzó contra Abel y lo mató".   GEN. 4, 8

Dios vuelve a aparecer de nuevo a pedir cuentas:

"Entonces Yahveh le dijo: ¿Qué has hecho? La voz de la sangre de tu hermano grita desde la tierra hasta mi. Por lo tanto, maldito serás, y vivirás lejos de este suelo fértil que se ha abierto para recibir la sangre de tu hermano, que tu mano derramó". Gen. 4, 10-11

Una historia triste. Aquellos que querían ser como dioses, se encuentran ahora con que no son más que padres de un asesino, llorando la muerte del otro hijo inocente.

En esta historia, la Biblia nos muestra esa dimensión social del pecado. Al pecar Adan y Eva, crean un desorden en el mundo, no sólo para ellos sino también para sus hijos y éstos comienzan con la larga historia de la competición y del crimen. Después del pecado, el paraíso se tornó en campo de sangre.

Esperanza

Aquella "primera pareja" tuvo que sufrir mucho, no porque Dios creara el sufrimiento, sino porque ellos lo originaron al pecar. Sin embargo Dios no les había abandonado, podían tener esperanza ellos y las futuras generaciones, pues contaban con una promesa de Dios: la restauración del "Paraíso".

Recordemos de nuevo las palabras de Dios a la serpiente:

"Haré que haya enemistad entre tí y la mujer, entre tu descendencia y la suya, ésta te pisará la cabeza mientras tú te abalanzarás sobre tu talón".

Gen. 3, 15

Conclusión

El Pueblo hebreo, inspirado por Dios, desde su situación de pecado, muerte y sufrimiento, busca una causa a esta situación y descubre:

— Que Dios es el Creador de todo y que todo lo que El creó es armonía y belleza.

— Que el pecado es la causa del desorden, del mal, del sufrimiento y que es obra del hombre.

Afirma y espera que ese Dios Creador va a ser también un Dios restaurador y Salvador: Un Dios Liberador.

Reflexión y Oración

1. Dios Prepara un Hogar

Den gracias al Señor, porque él es bueno, —porque su amor perdura para siempre.

Den gracias al Señor, Dios de los dioses, —porque su amor perdura para siempre.

Den gracias al Señor de los señores, —porque su amor perdura para siempre.

Al único que ha hecho maravillas, —porque su amor perdura para siempre.

Al que creó los cielos sabiamente, —porque su amor perdura para siempre.

Al que extendió la tierra sobre el agua, —porque su amor perdura para siempre.

Al que creó las grandes luminarias, —porque su amor perdura para siempre.

El sol, para que esté al frente del día, —porque su amor perdura para siempre.

La luna y las estrellas, —para que estén al frente de la noche, —porque su amor perdura para siempre.

SALMO 136, 1-9

Sabemos por experiencia, con cuánto cariño e ilusión la futura madre, va preparando todos los detalles para recibir

16

a su nuevo hijo. Elige los colores de los vestidos, la cunita. Todo tiene una importancia especial. Había pasado muchas veces por las vitrinas de los almacenes, pero no se había fijado que existían todas esas cosas que ahora va guardando y preparando con ilusión y cariño. Cuando la madre tiene ya al menos lo más indispensable para recibir a su hijo, se siente satisfecha y contenta.

La Biblia nos cuenta que Dios estuvo también preparando todos los detalles para el nacimiento del hombre y la mujer. Dios hacía el día y la noche, las estrellas, el sol y la luna, las flores y los animales. Y cada día al fin de su trabajo terminaba siempre con la misma satisfacción: "vió Dios que era bueno". Dios también sentía ilusión y cariño preparando los más mínimos detalles, para hacernos un hogar habitable.

Realmente qué bello es este gran apartamento que Dios nos preparó y que se llama Creación.

Señor, hoy te doy gracias por tantas y tantas cosas bellas que has puesto para nosotros, para que disfrutemos de ellas. Te doy gracias por los colores, por los campos y las montañas, por la lluvia y la nieve, por el día y la noche, por los animales y las plantas. Todo es muy bello. Pero, Señor, te pido perdón porque nosotros, a lo largo de la historia, nos hemos empeñado en destruir la belleza de la creación. Te pido que cambies el corazón de todos aquellos que abusan de tu obra con la locura de las armas destructivas, te pido por los explotadores, aquellos que tratan de poseer la naturaleza para dominar a los demás a costa del dolor de otros; por aquellos que tiñen de sangre el verdor de los campos, que aprovechan la noche para cometer atracos y violencias, cambia su corazón.

Señor tu obra es bella, pero, ¿por qué nos empeñamos en destruirla y en hacer de tu Creación, —nuestro hogar— una cueva de sangre, destrucción y violencia?

2. Palabra de Dios

¡Oh, Señor, nuestro Dios, qué glorioso es tu nombre por la tierra!

SALMO 8, 2

Cuando vemos en la televisión paisajes y lugares lejanos, sentimos ganas de viajar y conocerlos. Qué maravilloso sería dar una vuelta al mundo despacio, parándonos ante tantas cosas bellas: montañas con mil formas, praderas verdes, flores de todos los colores, noches con mil tonos de luces y sombras . . . ¡qué bello es el mundo, qué variado! . . . "El sol cada día es nuevo".

La Biblia nos dice que Dios al ir haciendo todas estas cosas, sentía también alegría y satisfacción; también a El le parecía bello y por eso al terminar cada una de sus obras se repite: "y vio Dios que era bueno".

Pero nosotros, ¿Cuántas veces al contemplar estos paisajes, pensamos en Dios? Con frecuencia acostumbramos a mirar sólo a la tierra, nos olvidamos que todo eso, lo hizo El con amor para que nosotros disfrutemos. Sí, es necesario que, detrás de este mundo tan lindo, veamos a Dios que habla y trabaja para nosotros.

Señor, me gusta este mundo que has hecho. Me gustan las flores, me gusta el mar, las montañas y la noche con estrellas.

Te doy gracias por esos regalos, por tanta bondad. Perdóname cuando paso por el mundo, sin pensar en Ti, sin recordarte y darte las gracias.

Señor que los hombres y mujeres de esta tierra sepamos escuchar tu lenguaje desde la belleza del mundo. Que al contemplar el parpadeo de las estrellas, los atardeceres rojizos, el verdor de los campos, el canto de los pájaros, el sonido imponente del mar . . . sepa decir también PALABRA DE DIOS.

Gracias, Señor, me gusta tu obra.

3. Gracias por la Vida

Felices los que temen al Señor y siguen su camino.

Comerás del trabajo de tus manos, ¡Que la suerte y la dicha te acompañen! Tu esposa será como vid fecunda en medio de tu casa.

Tus hijos serán como olivos nuevos en torno de tu mesa.

Miren cómo es bendito el hombre que respeta al Señor.

SALMO 128, 1-4

Hace unos días encontré a una pareja joven, de hispanos. Ella esperaba. Su cara estaba pálida, su vientre ovalado, se cansaba al caminar . . . Se llamaba Marta. Pedro, su esposo, un muchacho alto y fuerte, parecía preocupado.

"No se encuentra bien, Padre; rece por nosotros", me decía al despedirse.

Pedro tenía razón, su aspecto no era nada bueno. Llegué a casa y recé por ellos.

Ayer me llamaron: "¡Es una nena!"

Fui a visitarlos. Marta seguía pálida, pero si hubieran ustedes visto la alegría que reflejaban sus grandes ojos azules en su cara morena . . . Pedro no sabía qué hacerle . . . le decía cariñosamente que no hablara tanto, que se fatigaba, que no cogiera frío, que durmiera y dencansara un poco . . . ella sonreía y le decía algo con sus ojos.

"Se va a parecer en todo a la mamá", me decía Pedro con orgullo.

Cuando salí, comprendí mejor que aquellas palabras de Dios en la Biblia "Crezcan y multiplíquense" las dijo para hacernos más felices, creadores y semejantes a El.

19

Esta experiencia tan rica de vida y de amor compartido por Marta y Pedro, me trajo a la memoria la experiencia de otra amiga mía, joven y bonita muchacha, que vivió sola el proceso de su gestación. Valiente y heroicamente defendió el derecho a la vida de su hijo, al que el padre no quiso conocer.

Señor, desde esta doble experiencia, la una vivida en el gozo compartido, la otra vivida en la maternidad defendida, te doy gracias por la vida.

Sin duda que a mi también un día me recibieron con ese cariño mis padres.

Gracias por los padres que reciben a sus hijos con la alegría, el cariño y la felicidad de Marta y Pedro.

Gracias por el llanto y la sonrisa de aquella "nenita" muy pequeña, pero hecha a tu imagen y semejanza.

Gracias por los ojos acogedores de las madres buenas y valientes que llevan adelante la obra creadora de nuestro Padre Dios.

4. Me Parezco a Dios

Desde arriba el Señor mira al humilde, —y de lejos al orgulloso.

SALMO 138, 6

Muchas veces estamos preocupados por nuestra apariencia ante los demás, tanto en lo físico, como respecto a la opinión que el público, los demás, puedan tener de nosotros. Y es que en nuestro mundo, a las personas con frecuencia se les valora por lo que parecen y no por lo que son. La belleza, los títulos universitarios, el poder, el dinero es lo que hacen a las personas importantes. A una persona con mucho dinero se le trata con mucho respeto y educación. Pero si no tiene dinero, a veces incluso es tratado sin dignidad y sin respeto.

La Biblia nos dice que Dios nos creó a su imagen y semejanza. Aquí está nuestra dignidad, el ser parecidos a Dios. Ese niño recién nacido, desnudo, mostrando su impotencia en el primer llanto, no es importante por ser hijo de un pobre o de un rico, de un blanco o de uno de color, de un anglo o de un hispano. Es importante porque es una imagen, un retrato del Creador.

Cuando Dios dijo "Hagamos a la persona a nuestra imagen y semejanza", no estaba pensando que los ricos o los blancos iban a ser un retrato más perfecto. No, los que más se iban a parecer a El, eran aquellos que conservaran mejor esa imagen sin mancha. Y no es la falta de dinero, o la raza, lo que mancha la imagen, es la falta de honradez, la violencia, la explotación, el egoísmo, el pecado. Esto sí, degrada a la persona.

Señor, hoy te pido por aquellas personas humilladas, a las que se les niegan sus derechos a causa de su pobreza o de su raza; pero, perdona y convierte también a los violadores y destructores de tu obra más importante: la persona humana.

Señor, que los hombres y mujeres seamos apreciados, no por lo que poseemos, sino por lo que somos.

5. La Dignidad de ser Mujer

> *Señor, tú eres justo, y tus juicios son rectos. Has impuesto tus preceptos con justicia y con toda verdad. El celo de tu gloria me consume, al ver que mis enemigos olvidan tus palabras.*
>
> Salmo 119, 137-139

En estos últimos años, se habla y se escribe mucho sobre la liberación de la mujer. La idea es buena, pero a veces los criterios que se siguen no son aceptables, para nosotros los cristianos.

No cabe duda, que en este mundo nuestro, entre las muchas injusticias que se cometen, está la negación de muchos de los derechos de la mujer, su opresión, su explotación y con frecuencia su esclavitud aun dentro del matrimonio católico. Nosotros, como cristianos, también tenemos que luchar contra estas injusticias, pero nuestra lucha no puede fundarse en ideas de moda. Nuestro punto de vista, tiene que partir de la palabra de Dios.

Dios nos habla claro en la Biblia sobre este tema:

> "Y Dios creó al hombre a su imagen y semejanza, a imagen suya los creó: macho y hembra".

Una vez más, tenemos que afirmar que nuestra dignidad y nuestros derechos no están en el dinero, ni en la raza ni tampoco en el sexo. Nuestra dignidad y nuestros derechos tienen su fundamento en que somos imágenes de Dios. Por eso la esclavitud o la opresión de una persona humana, sea hombre o mujer, es lo mismo, *es la opresión de una imagen de Dios.*

Señor hoy te pido por tantas mujeres hispanas, víctimas de los más diversos modos de opresión. Por tantas mujeres abandonadas por sus esposos, por tantas mujeres explotadas en el trabajo, por tantas madres solteras, por tantas mujeres marcadas . . .

Te doy gracias porque a lo largo de nuestra historia la mujer hispana ha ocupado un papel importante en la transmisión de nuestra cultura y de nuestra religión católica. Ese profundo sentido de familia que nos caracteriza, se debe en gran parte, a ellas, que tienen tan arraigado el sentido de maternidad.

Pero, te pido también por todas aquellas que al llegar a este país han confundido la liberación con el abuso del sexo y el libertinaje, por tantas muchachas jóvenes, que hacen de su cuerpo un cheque para divertirse.

Señor, que todos sepamos que lo mismo el hombre que la mujer, hemos sido creados a tu imagen y que aquí radican nuestros derechos y nuestra dignidad.

6. Santifica Nuestro Descanso

> *El Señor es mi pastor, nada me fal-*
> *ta, en verdes pastos él me hace*
> *reposar y a donde brota agua fresca*
> *me conduce. Fortalece mi alma, por*
> *el camino del bueno me dirige por*
> *amor de su nombre.*
>
> SALMO 23, 1-3

El otro día después de la Misa del domingo me despedía de una señora: "Que pase usted un buen día de descanso", —le dije—. Su respuesta fue rápida: "¿Descanso? Estoy deseando que sea lunes. En casa los niños hacen ruido, se pelean. Mi marido y yo discutimos más el domingo, que el resto de la semana".

Me dio pena, y sé que estas escenas se repiten en muchos hogares. Es difícil descansar porque es difícil convivir.

La sociedad de consumo organiza modos de descansar. Ustedes, pueden encontrar en los periódicos anuncios de hoteles especiales, con películas para adultos, clubs, discotecas y tantas y tantas cosas caras, que se ofrecen a todos, y especialmente a la juventud.

La Biblia nos habla del descanso: "Para el séptimo día había terminado Dios su trabajo. Y bendijo Dios el día séptimo y lo consagró, porque ese día descansó de todo su trabajo de crear".

Mensaje importante el que Dios quiere transmitirnos en estas frases. Sí, el descanso es necesario después de una semana de trabajo.

Amigos, los fines de semana son necesarios, pero hay que vivirlos como días que Dios bendijo y consagró. No pueden ser días de peleas en la familia, ni días de parranda y de alcohol. Deberán ser días de paz, de comunicación, de ir a la Iglesia a dar gracias a Dios y pedirle que nos siga ayudando.

Nuestros hijos no necesitan sólo del dinero que traemos a casa cada semana, necesitan también de la comunicación, de la presencia de sus padres.

Señor, enséñanos a descansar a tu manera, con la conciencia tranquila. Que nuestros domingos no sean días de parrandas, de guerra, de despilfarro de dinero. Que el domingo sea un día en que logremos una mejor comunicación contigo y con los demás. Bendice este descanso para nuestras vidas.

7. La Viudez del Abandono

Se mira con ojos satisfechos, negándose a descubrir su error; sus palabras son engaño y maldad; renunció a ser bueno, a obrar el bien.

SALMO 36, 3

Se dice y se repite de muchos modos que la familia está en crisis. Desgraciadamente es verdad. Los políticos, los sociólogos, los sicólogos tratan de buscar remedios a esta situación.

La Biblia nos presenta a Adán y Eva en el paraíso como modelo de matrimonio. Una pareja que Dios ha querido y ha unido: "No es bueno que el hombre esté solo, hagámosle una compañera."

Vemos cómo el amor y la comunicación son a los ojos de Dios, una base importante del matrimonio.

Pero, ¿qué pasa hoy? Precisamente en la falta de amor y comunicación, está la raíz de muchas de las crisis de la familia. Y es que con frecuencia la pareja, no ha tomado en serio este principio. Son muchas las parejas que se unen, después de unos meses o años de aventura. El placer, la diversión, las relaciones sexuales, han sustituido al amor. Más tarde viene el cansancio, la infidelidad y la búsqueda de otras aventuras . . . Matrimonios rotos o infieles.

No, el matrimonio no puede ser producto de algo tan superficial. Debería ser el fruto de un conocimiento profundo y una búsqueda de comunicación. Para esto, es necesario tomarse tiempo; pensar las cosas; ser responsables.

Son muchas las muchachas todavía muy jóvenes, que después de unos meses o unos años de matrimonio comienzan a vivir la *triste viudez del abandono*. No fue la muerte lo que les separó: fue el fracaso de la comunicación.

Señor, te pido por tantas muchachas y muchachos que no

plantean su unión con seriedad y responsabilidad. Por tantas parejas que prefieren la diversión, a la comunicación profunda. A aquellos hombres y mujeres que ya han fracasado, ayúdales a vivir su soledad con dignidad. A los que están pensando en unirse, dales valor y luz para que se enfrenten con su futuro, desde una perspectiva de amor y responsabilidad.

Señor, tenías razón cuando decías que no es bueno que el hombre esté solo; pero es peor todavía cuando la soledad, es consecuencia de la infidelidad y del fracaso de una comunicación que quizás nunca había comenzado en serio.

8. Los huérfanos del Abandono

> *Yo le imploro al Señor, a grandes voces, le suplico al Señor, a grandes voces.*
>
> *En su presencia expongo mi tristeza y coloco delante de él mi angustia, cuando llego a quedarme sin resuello; pero tú bien conoces mi conducta.*
>
> Salmo 142, 1-4

Cada vez es más frecuente entre las parejas hispanas, siendo católicos, no casarse por la Iglesia. "Vamos a esperar unos años, después si estamos seguros, si nos entendemos... nos casaremos por la Iglesia."

La razón a primera vista parece lógica. Pero, ¿qué pasa después? Después vienen los hijos, más tarde, con frecuencia, el abandono del padre... y esas criaturas pequeñas tienen que ver con sus ojos inocentes, a su madre luchando sola y a su padre viviendo con otra mujer.

Es posible que su padre les pase algún dinero, les haga algunos regalos y los visite de vez en cuando... Pero, ¿es eso ser padre? Ser padre no consiste sólo en concebir hijos y pasarles lo que necesiten para su alimentación. Esos niños necesitan ser educados, cuidados y amados por un padre y una madre... y desgraciadamente muchos, serán huérfanos con su padre vivo: *los huérfanos del abandono.*

Amigos, la solución no está en no casarse por la Iglesia. Si ustedes no están seguros, no se casen; esperen, conózcanse mejor, dejen que su amor madure para poder entregárselo mañana a sus hijos. Antes de casarse no piensen sólo en ustedes; piensen en ellos también. No sean egoístas con sus hijos, ya antes de que nazcan.

Señor, te pido por los niños y niñas huérfanos de abandono . . . *ellos son todavía inocentes, pero ya tienen que comenzar llevando en silencio esa cruz de tristeza y soledad que sus propios padres les han impuesto, muchas veces por haber sido irresponsables y egoístas.*

Te pido, también, por tantas parejas de jóvenes que están pensando unirse. Hazles caer en la cuenta que necesitan conocerse para poder llevar una vida en común y ofrecer mañana un hogar a sus hijos. Que se den cuenta que si no lo hacen así, su unión puede ser fruto de un profundo egoísmo, del que más tarde, también sus hijos van a ser víctimas: los huérfanos del abandono.

9. Muertos en el Zafacón de la Basura

> *Pues tú, Señor, formaste mis entra-*
> *ñas, — me tejiste en el seno de mi*
> *madre.*
>
> SALMO 139, 13

El otro día leía en un libro, titulado DIALOGOS SOBRE LA FAMILIA HISPANA, que en la ciudad de Nueva York, entre los hispanos, hay al año más abortos que nacimientos. Cada día nos horrorizamos con noticias de accidentes, de robos, de atentados, de crímenes . . . Y la sociedad dice que lucha por un mundo más pacífico. Pero el llanto llega a los hogares, como consecuencia de la desgracia y la violencia.

Hoy me pregunto: ¿quién llora por la muerte de esos miles de seres abortados?

Esa criatura que hoy está tirada en el *zafacón de la basura,* entre otros desperdicios, ayer no tenía más que una madre que le llevaba con disgusto en sus entrañas. Ahora ya no podrá crecer, no podrá ver los colores, escuchar el canto de los pájaros, nunca podrá realizarse ni comunicarse, nunca podrá luchar por ser libre . . . Ayer era vida, un proyecto de existencia humana . . . hoy es desperdicio.

"No tenga miedo" —le decía el doctor a la madre— "la operación es muy sencilla, no hay peligro". Después todo se realizó con gran limpieza, batas blancas, instrumentos esterilizados . . . se extirpó a la criatura de las entrañas de la madre, se la tiró a la basura entre gasas y algodones usados . . . "ya está, todo salió bien".

Señor, hoy te pido sensatez para esta humanidad que se
llama a sí misma civilizada. Acoge en tu seno a tantos y a
tantas criaturas a las que no se les ha dejado vivir . . . que
los cristianos escuchemos de nuevo aquella palabra tuya:
"Crezcan y multiplíquense".

Señor, ¿es que es más importante la libertad de la madre

que la existencia de los hijos?

Te pido que esta humanidad sea consciente, que si una de las realidades más humanas, la madre, confunde su derecho a la libertad con el derecho a la vida del hijo, no podrá nunca existir ni la paz, ni la justicia, ni tampoco la libertad.

Te pido también, Señor, que despiertes las conciencias de tantos hombres que con su cobardía apoyan, obligan o manipulan desde el anonimato, la muerte de tantos seres inocentes.

10. ¡Soledad, Soledad . . !

> *Qué bueno y agradable cuando viven juntos los hermanos.*
>
> SALMO 133, 1

Antes, para poder encontrarse dos personas lejos, se empleaba mucho tiempo viajando. Hoy tenemos los aviones que enseguida nos llevan a cualquier parte. Con el teléfono, en cualquier momento podemos comunicarnos con personas que están a miles de millas, o en otro barrio de nuestra ciudad. Sin embargo, todos estos medios no han resuelto un gran problema de la humanidad: LA SOLEDAD.

Hoy la soledad no es sólo un problema, muchas veces es realmente una enfermedad.

¡Cuánta soledad en nuestro mundo! ¡Cuánta soledad en tantos rostros!

Rostros de ancianos metidos en sus apartamentos . . . pensando, viendo televisión, pero la televisión no resuelve el problema. La televisión habla, sin embargo no escucha.

Rostros de jóvenes que caminan hacia el trabajo, parados en cualquier esquina, esperando . . . o sumergidos en el ruido de una discoteca . . . pero nada de esto es compañía; a veces incluso aumenta la soledad.

El cartero nos trae miles de mensajes. Gran parte de las veces propaganda, papeles para que compremos cosas.

Las ventanas de los comercios se iluminan cada noche invitándonos a comprar cosas . . . pero tampoco las cosas suprimen nuestra soledad.

Dios nos dice en la Biblia "que no es bueno que el hombre esté solo".

Tiene razón, porque cuando nos encontramos solos estamos tristes, nos sentimos inseguros . . . la vida parece no tener sentido, y por eso algunos quieren vivirla olvidando, refugiados detrás de una barra, con un vaso de alcohol, o el sueño y la fantasía amarga de la droga. Es como un suicidio lento. Es un modo de no vivir.

Señor, nuestra generación está enferma de soledad. Ayúdanos a comprender que no son las cosas ni las diversiones, sino la comunicación lo que suprime la soledad. Una comunicación sin caretas, sin disfraces, sin palabras de engaño . . . una comunicación que sea sencillez, compartir, comprensión, sinceridad, amor.

Que comprendamos que no hay hospitales para esta enfermedad, ni medicina para combatirla, pero sí, rostros humanos con sentimientos, con corazón, con capacidad de ser comunidad.

Señor, no es bueno que los hombres y mujeres de esta generación vivamos tan solos.

11. No son Famosos

Feliz el hombre que teme al Señor,
que encuentra en sus mandatos su
contento.

Tendrán poder sus hijos en la tierra,
será bendita la raza de los justos.

SALMO 112, 1-2

Hoy casi siempre que se habla de familia o matrimonio, se añade la palabra crisis. Pienso que esto no es del todo justo. ¿Es que acaso todas las familias y matrimonios están en crisis? Afortunadamente, no.

Hoy quisiera presentarles a una pareja: Marta y José. Son jóvenes; tienen cuatro hijos, viven en un apartamento pequeño y pobre. El trabaja en una factoría, ella cuida a un anciano. Tienen problemas sí, ¿quién no? Pero no están en crisis, son felices. Da gusto verles venir juntos de la iglesia, mirando a sus hijos, con orgullo, sonriéndose con amor. "Si yo tuviera que casarme otra vez, volvería a elegir a Marta por esposa" —me decía José con orgullo—. Ella sonreía y posaba sus ojos caribeños llenos de ternura en el rostro de su esposo.

Al ver a matrimonios así, uno comprende mejor el proyecto de familia que Dios nos propone en la Biblia. No, Dios no quería matrimonios en crisis, Dios desea matrimonios como el de Marta y José, matrimonios felices.

Señor, te damos gracias porque sabemos que existen muchos matrimonios así. No son conocidos, no son noticia, pero son felices . . . ¡Cuánta felicidad en el anonimato! Nadie habla de ellos porque no pelean, no se son infieles . . . su vida aparentemente es vulgar. Pero, cuánta paz, cuánta ternura y felicidad, hay escondidas en sus vidas.

Señor, que también nos fijemos en las familias, que viven

el amor, que también hablemos de ellas, que no las considere-mos vulgares, pero sí ideales, dignas de ser imitadas. No son ricos, pero tienen amor.

Te damos gracias de un modo especial en nombre de sus hijos, esos niños y niñas que al mismo tiempo de aprender a hablar, aprenden también a amar.

Por tantas familias que viven el amor, gracias, Señor.

12. El Rostro Multiforme de Dios

Crea en mí, oh Dios, un puro Co-
razón, un espíritu firme pon en mí.
No me rechaces lejos de tu rostro ni
apartes de mi tu santo espíritu.

Salmo 51, 12-13

Seguramente que más de una vez al venir de compras o del trabajo te dijeron: Has tardado, ¿te has encontrado con alguien? No, respondiste, es que había mucha gente, mucho tráfico y es verdad, no has encontrado a alguien conocido. Sin embargo has pasado por muchos rostros:

rostros de niños marginados con los ojos tristes;

rostros curtidos de trabajadores;

rostros enrojecidos y ansiosos del alcoholizado;

rostros de ancianos, arrugados y resignados a la soledad;

rostros alegres y expresivos de muchachitas que todavía no han descubierto el odio y la injusticia;

rostros inseguros y atemorizados del trabajador indocumentado;

rostros sin expresión y vacíos de aquellos que no pueden ver la luz, ni los colores, ni otros rostros . . .

rostros maquillados y rostros manchados de polvo o de sangre;

rostros que engañan sonriendo;

rostros aburridos, cansados de vivir y rostros de esperanza;

rostros morbosos, marcados por las mil formas de prostitución;

rostros con la mirada falsa del que traiciona;

rostros marcados por la delincuencia y el asesinato;

rostros de hermanitas, pacíficos y consagrados a Dios;

rostros ansiosos del que va a divertirse y el rostro de la

madre que vuelve de visitar a su hijo en el hospital o en la cárcel;

rostros de pobres y rostros de ricos;

rostros blancos, morenos o negros;

tantos rostros . . .

Sí, tú te has encontrado con alguien: te has encontrado con *el rostro multiforme de Dios.* Todos esos rostros son imagen del Creador; sin embargo, muchos de ellos se encuentran deteriorados; pero en todos existe una esperanza de restauración.

Y en medio de tantos rostros también estaba el tuyo. Tu rostro también es imagen de Dios ¿está conservado o deteriorado?

Señor, te pido por todos los rostros de todos aquellos que voy a encontrar en la vida. Que mi conducta no acentúe en ellos el deterioro, la dureza de vivir, la insatisfacción y la tristeza.

Señor, mira Tú también hoy mi rostro; compadécete y purifícalo. Restaura tu imagen en nuestros rostros.

13. No Queremos ser Como Dioses

Señor, tú me examinas y conoces;
—sabes cuándo me siento— y cuán-
do me levanto; —tú conoces de lejos
lo que pienso; tú sabes si camino o
si me acuesto— y tú conoces bien
todos mis pasos.

SALMO 139, 1-3

Nos cuenta la Biblia que Adán y Eva eran felices en el Paraíso. Pero llegó la tentación: una serpiente les presenta lo apetecible del fruto prohibido y les promete "si lo comen serán como dioses". Después de comer de lo prohibido, perdieron la felicidad del Paraíso y comenzó para ellos el dolor, el sufrimiento y las angustias de la vida.

Hoy son muchas, y de muy diversas formas, las serpientes que nos tientan y nos prometen también, "ser como dioses": la felicidad.

Cuántos frutos prohibidos nos presenta la serpiente hoy: la ambición por el dinero que nos lleva a negocios sucios, la venganza, el odio, la crítica de la vida de nuestros hermanos, la infidelidad, los placeres, el abuso del sexo, la droga, las horas en una bodega adorando al alcohol . . . ¿Pero después qué sucede? Lo mismo que les sucedió a Adán y Eva: la intranquilidad de conciencia, la vergüenza de nosotros mismos, el disgusto y desagrado de ser como somos, la pérdida de nuestra identidad como imágenes de Dios . . . pero no aprendemos. El pecado, una y otra vez, nos promete la felicidad, y una y otra vez nos hace más desgraciados.

Señor, te pido perdón por mis pecados. Que sea consciente de que por ese camino no encuentro la felicidad y sí la intranquilidad.

Perdona, en especial, los pecados que cometo contra los demás: la falta de dedicación a la familia, la crítica

*de la vida ajena, las veces que pongo mis pies encima
del hermano para aplastarlo más . . . sí, Señor, perdona mis
venganzas, mi incapacidad de perdonar y de ayudar al que
me necesita.*

*Ayúdanos a todos a descubrir la decepción y la mentira
que hay en cada pecado.* Señor, que no queramos ser como
dioses, *para poder seguir siendo imagen tuya, nuestro Creador.*

14. Caín no ha Muerto

Que mi alma quede limpia de malicia purifícame tú de mi pecado.

Salmo 51, 3

Después del pecado de Adán y Eva y su expulsión del Paraíso, comienzan los problemas. Nos dice la Biblia que habían recibido con alegría el nacimiento de sus hijos, Caín y Abel. Pero pronto van a tener que enfrentarse con la tragedia.

Caín y Abel trabajaban y ofrecían sacrificios al Dios que les había creado. Pero los sacrificios de Caín no eran gratos a Dios, porque en ellos Caín no expresaba su sinceridad. Sí, eran gratos los sacrificios de Abel. Porque Abel creía que Dios era el Señor de todas las cosas. Aquí comienza la envidia y el eterno pecado de la competición.

Un día Caín, invita a Abel a ir al campo y allí lo asesina. Caín no era capaz de admitir que su hermano Abel fuera más agradable que él a los ojos de Dios, y busca en el crimen la supresión de su rival y la realización de sus deseos ambiciosos.

Tuvo que ser muy duro para aquellos padres contemplar la sangre y la muerte por primera vez.

Después de este hecho, la historia humana está llena de Caínes y Abeles. Los crímenes, las guerras, la violencia, han cubierto la tierra. De los 3,400 años últimos de nuestra historia, 3,166 fueron de guerra. La ambición, la competición en todos los campos, ha ido tiñendo de sangre, el verdor y la esperanza de vivir felices en esta tierra. La usurpación de las tierras y las riquezas por unos pocos, ha sembrado la historia de niños hambrientos, de ancianos desamparados, de familias explotadas... *Caín no ha muerto.*

Señor, devuélvenos a los hombres nuestra identidad de

hijos tuyos, nuestro sentido de hermanos. Arranca de noso-
tros la ambición y la competición. Señor, que todos escu-
chemos aquellas palabras tuyas a Caín: ¿Dónde está tu
hermano?

15. Guerra Entre Campesinos y Pastores

No me dejes comer de sus dulzuras. Permite, sí, que el justo me golpee y me corrijan tus amigos, antes que luzca los regalos del injusto.

Salmo 141, 5

Cuando vemos una película de guerra, con frecuencia nos gusta y nos ponemos de parte de alguno de los bandos. Instintivamente a los vencedores, los consideramos héroes.

La Biblia nos habla de la primera guerra fue entre un campesino y un pastor. La causa de la guera, la envidia y la competición. Uno ganó, se llamaba Caín; el otro perdió y murió, se llamaba Abel... ¡los dos eran hermanos!

Esta fue una historia sencilla que desgraciadamente se ha ido repitiendo año tras año: competición, vencedor, muerte... *hermanos.*

Hoy Caín es poderoso y constantemente se prepara para seguir luchando. Caín domina y nosotros muchas veces, lo vemos como algo natural.

Pero, reflexionemos:

Si de cada 100 dólares que se invierten en la carrera de armamentos se dedicara 1 dólar, destinado a dar de comer a los niños hambrientos, se podría remediar la desnutrición de 200 millones de niños. ¿Se les ocurre, qué se podría hacer con los otros 99?

Quizás hemos leído libros sobre la segunda guerra mundial o hemos visto películas, pero veamos algunos datos del balance

32 millones de jóvenes muertos en los campos de batalla.

20 millones de mujeres, ancianos y niños muertos en los bombardeos.

1 millón de niños sin padres.

Sí, Caín domina, pero no olvidemos que la palabra de Dios sigue resonando de generación en generación "¿Dónde está tu hermano?" "La voz de la sangre de tu hermano grita desde la tierra hasta mí".

Señor, perdona tantos pecados, tantos crímenes. Que la sociedad entera escuche tus palabras. Que seamos conscientes de que tenemos que ser guardianes de nuestros hermanos y no sus asesinos.

Perdona especialmente nuestra falta de sensibilidad ante el hambre de millones de hermanos nuestros que mueren cada año porque todavía no hemos escuchado tu pregunta: "¿Dónde está tu hermano?"

Señor, haznos pacíficos, generosos. Que nuestra vida sea compartir entre hermanos lo que poseemos y no competir hasta el asesinato.

16. El Pecado del Mundo

Tú ves que malo soy de nacimiento, en pecado me concibió mi madre. Tú quieres rectitud de corazón, enséñame en secreto lo que es sabio.

Salmo 51, 7-8

Para muchos, hoy, la palabra pecado tiene un significado anticuado. Es algo relacionado con la Iglesia, los predicadores y los confesionarios. Pero yo pienso que para darnos cuenta de la realidad del pecado, basta que miremos al mundo tal como es.

Sí, vivimos en un mundo de pecado. El pecado nos rodea, en él hemos nacido y en él estamos siendo educados.

La Creación, nuestra tierra, fue un regalo de Dios a la persona humana. El hombre debería ser señor de la Creación, no por derecho, sino por voluntad del Creador. En nuestra sociedad debería reinar la paz y la convivencia. Pero, ¿qué sucede?

Unos pocos en la humanidad han cogido para ellos las riquezas y las tierras, mientras millones agonizan sin trabajo, sin derechos y con hambre.

La violencia, las guerras, los crímenes, los odios, las venganzas, la sangre, ponen de luto cada día nuestra tierra.

La justicia no siempre es igual para todos. Existen leyes iguales para todos en cada país, pero su aplicación no siempre es la misma, cuando se trata de un rico o de un pobre.

Las libertades y los derechos son privilegios a los que de hecho, sólo tienen acceso minorías, mientras a millones se les niega con un "no" corto y seco o con miles de palabras políticas.

La persona humana en muchas ocasiones es pura mercancía que se compra y se vende en los negocios. Unas veces descaradamente, como en la prostitución, otras más sutilmente, en la explotación y en el chantaje.

Amigos, ¿ustedes pueden, al reconocer esto, y otros muchos hechos, afirmar que la palabra "pecado" está anticuada, que es cuestión de sermones?

Y ¿cuáles son mis pecados? ¿Cuál es mi triste contribución a esta contaminación de pecado que contagia al mundo?

Señor, que yo reconozca el lenguaje y la realidad del pecado que me rodea. Y que reconozca también mis pecados. Que sea humilde. Que al hablar del pecado del mundo, no piense sólo en el pecado de los otros, sin reconocer mis egoísmos, mis injusticias, mis pecados.

17. Los Sacrificios de Abel Agradaban a Dios

Me acuesto en paz, y al punto yo
me duermo: porque, Señor, tú solo
me das seguridad. SALMO 4, 9

Lo malo parece que destaca más: el pecado, la pobreza, el dolor, los crímenes. ¡Qué pocas noticias buenas se leen en los diarios!

Sin embargo, en esta vida no sólo existe el pecado, no sólo hay "Caínes", también hay cosas buenas; con nosotros también vive Abel, que ofrece sacrificios que agradan a Dios.

Recuerdo a Sara, tenía unos 19 años. Era una chica alegre, bonita y atractiva. Se despidió un día de todos nosotros. Se iba al convento. Los próximos 25 años de su vida los dedicó a anunciar la Buena Noticia de Jesús, por distintos países latinoamericanos. Yo nunca más la ví. Sabía que últimamente estaba en Santiago de los Caballeros (República Dominicana) trabajando con la juventud. Repentinamente, cuando se preparaba para celebrar la Pascua 79 con los jóvenes, los doctores declaran que tiene leucemia. No pudo asistir. Esta es la carta que les envió desde su cama, pocos meses antes de morir:

Mis queridos amigos:

Me emociona pensar que con estas líneas pueda hacer realidad un anhelo vivísimo que tengo dentro de mí: Poder compartir con ustedes estrechamente esta Pascua, que tan ardientemente había deseado vivir con ustedes.

No creo que necesite explicarles lo que me ha pasado. El Señor en esta Pascua me ha señalado un camino nuevo, distinto totalmente, pero no distante ni de El ni de ustedes. Desde esta perspectiva de mi nuevo camino empiezo a entender la Pascua de Jesús y la Pascua mía y de los hombres como nunca había podido comprender. Y aunque parezca una paradoja o un contrasentido, desde este aislamiento me siento unida estrechamente al misterio de Jesús, que muere y resucita hoy, en cada hombre. En este tiempo en que el Señor me ha cambiado la ruta, he pensado y pienso mucho en ustedes, sí, porque entre ustedes y yo hay un secreto que desconocen: Desde que supe que el Señor me pedía no sólo parte de mi vida, sino que la pedía toda, la motivación primera de mí, sí, han sido ustedes, jóvenes de la República, en quienes había puesto mi entusiasmo, las energías y la ilusión de mi apostolado, la razón primera de mi vivir.

Hoy, de manera especial, todo esto se hace presencia mía entre ustedes. Siento desde aquí el entusiasmo por Cristo, un Cristo presente en la historia, hecho carne y realidad dominicana; quisiera que la muerte prolongada de Jesús llegara a su fin y amaneciera pronto su resurrección y liberación.

Sé que el Señor necesita de nosotros para realizar esta obra, yo sé que no voy a poder avanzar mucho, no dejen mi puesto vacío. ¿Quién entre ustedes quiere continuar el camino sirviendo de puente entre Jesús y los hermanos?

Y termino ya recordando la primera carta de San Juan a los jóvenes de su tiempo: "Les hablo a ustedes jóvenes porque son fuertes y la Palabra de Dios permanece en ustedes". Y si quieren más reciente, más nuestras, las palabras de Juan Pablo II a la juventud: "Que Jesucristo sea el motivo más profundo de vuestro vivir y actuar cristiano".

Unidos en la oración y en un abrazo fraterno y universal, les quiere de verdad,

Hna. Sara, F. I.
Santo Domingo,
Pascua 1979

47

Señor, te damos gracias por tanta gente buena que convive con nosotros. Gracias por tantas madres sacrificándose por sus hijos.

Por tantos ancianos y ancianas, que llevan las molestias de su ancianidad como sacrificio por los hermanos.

Por los padres que trabajan y se sacrifican para llevar el alimento y la educación a sus hijos.

Por los sacerdotes, que ofrecen el sacrificio de su soledad, sirviendo.

Por las religiosas, que renuncian a la maternidad para ser hermanas de todos.

Por tantos hombres y mujeres que como la Hna. Sara, no te ofrecen un sacrificio, te ofrecen la vida.

Señor, gracias por todos esos sacrificios que te agradan como te agradaba el de Abel. ¡No, que no dejemos su puesto vacío!

> *"Desde los escombros y la pobreza Dios parece ausente . . . pero no; también hoy escucha los gemidos del que sufre, sigue los pasos del que busca . . . Dios está en nuestra historia como LIBERADOR."*

II

Creo en Dios, Liberador

Notas Bíblicas y Meditación sobre el Exodo

Al leer el libro del Exodo podemos tomar muy diversas posturas. Unos quieren comprender muchos de los prodigios que en este libro se narran, por ejemplo: cómo fue posible que el Mar Rojo pudiera dividirse. Otros lo leen como si fuera una novela fantástica de aventuras: Un pueblo de esclavos, un Dios misterioso, un líder, la victoria de los débiles sobre los poderosos egipcios . . .

En estas líneas intentamos dar algunas claves para que podamos comprender y meditar sobre el profundo *sentido religioso* que la experiencia del Exodo tuvo para el Pueblo

Hebreo y también el sentido religioso que tiene para nosotros hoy.

Una Raza de Emigrantes es Esclavizada

Los hebreos eran un pueblo de pastores en gran parte nómadas, es decir, andaban de un lugar a otro buscando tierras y pastos para sobrevivir. Pero esta tarea se les hace cada vez más difícil porque las tierras se secan y no producen. Entonces llegan a ser tan pobres que no tienen más remedio que emigrar y pedir. Esta es la situación que les lleva a Egipto. Así se presentaron al Faraón:

> "Nos hemos venido a vivir en este país porque ya no hay pastos para los rebaños de tus servidores, debido a la gran sequía que se da en la tierra de Canaán. Por eso te rogamos que nos permitas vivir en la tierra de Gosén".

GÉN. 47, 4

Al principio fueron bien recibidos, los Hebreos van a cooperar en el progreso de Egipto. Sin embargo, con el paso del tiempo esta minoría de emigrantes se presenta como una amenaza política para los egipcios: Los Hebreos crecen rápidamente y por tanto se van haciendo numerosos. Ante esta amenaza política, los egipcios responden con una acción política también: discriminación.

De este modo los hebreos, sin libertad, dejarían de ser peligrosos y por otra parte iban a ser útiles: ellos tomarían los empleos más duros y peligrosos en las construcciones de las grandes obras faraónicas, como las pirámides, templos y palacios.

La discriminación y la esclavitud para que fueran realmente eficaces tenían que eliminar aquellos aspectos en los cuales los Hebreos se mostraban más amenazantes. En este caso, el mayor peligro que ofrecían los Hebreos era su crecimiento. Por eso el nacimiento de los varones —los que mañana podrían ser posibles guerreros— debería ser controlado. De este modo la opresión y la esclavitud obtendrán como resultado no sólo la falta de libertad, trabajos forzados, explotación . . . va a ser también *genocidio.* Se matará a todos los varones nacidos de mujeres hebreas. Así nos lo cuenta la Biblia:

> "El Rey de Egipto ordenó a las parteras hebreas (una se llamaba Séfora y otra Fua): Cuando asistan a las hebreas y les llegue el momento, si es niño lo matan, si es niña la dejan con vida."
>
> **Ex. 1, 15s.**

En esta situación nació Moisés. Su madre lo ocultó durante tres meses, hasta que vio que no podía tenerlo por más tiempo escondido y se ve obligada a dejarlo en el río, flotando en una canastilla.

La Biblia no nos cuenta los sentimientos de dolor y tragedia que sin duda vivió aquella mujer, al desprenderse y abandonar a su hijo; pero sí sabemos que aquellos momentos, sin aparente esperanza, formaban parte de la historia del que iba a ser Profeta del Dios Liberador.

El capítulo segundo del Exodo nos sigue contando la vida de este hombre, Moisés, llena de sorpresas y también de fidelidad a su pueblo.

El Pueblo Desde la Opresión se Pregunta por Dios

En la historia de los pueblos y de las personas, es muy frecuente que ante el dolor, la muerte y el sufrimiento, se acuda a Dios. Muchas veces se ha tenido la experiencia de que El escuchó las oraciones, otras veces, en vez de una respuesta, se encuentra su ausencia: un silencio duro que llena de vacío, dudas . . . y con frecuencia deja sin esperanza.

Esta era la situación del pueblo Hebreo. Ellos invocaban al Dios de sus Padres, pero como respuesta sólo encontraban silencio y más opresión.

Por otra parte, ellos veían a los egipcios, con sus dioses a los que adoraban, rendían culto . . . y estos dioses habitaban en Egipto un pueblo grande y poderoso con grandes y hermosos templos.

Ante esta situación, el pueblo Hebreo se pregunta: *"¿Dónde está nuestro Dios?"*. En esta pregunta, ellos no dudaban de la existencia de Dios. Lo que ellos quieren es: sentir, vivir, la realidad de su presencia. Pero esta presencia de Dios no se la daban ni los cultos, ni los recuerdos, ni los consejos de los más antiguos . . . Buscaban un Dios que no se mostrara silencioso, indiferente ante su dolor y los problemas de su vida en la esclavitud. Necesitaban que Dios tomara parte de la Historia del Pueblo.

Debemos tener en cuenta, además, que su propia religión hebrea no les estaba del todo clara. Ellos adoraban, sí, al Dios de los Padres, pero en medio de tantos nombres de dioses egipcios, no sabían cuál era el nombre de su Dios.

Este problema del nombre que para nosotros podría parecernos menos importante, para ellos era fundamental. El nombre para ellos no era un asunto de palabras, como lo suele ser para nosotros; para los Hebreos el nombre era la esencia, la definición de cada cosa. No tener nombre era como no existir, *no tener identidad.*

Dios Manifiesta su Identidad Como Liberador

La revelación que Dios hace de sí mismo a Moisés y que se nos narra en los capítulos 3 y 4, va a ser una respuesta clara y concreta al problema de la fe de aquel pueblo de esclavos. Recordemos tres de las ideas que aparecen destacadas en el relato:

1. Lo primero que le dice Dios a Moisés es: El no es un Dios nuevo. Es el mismo que ya había hablado a sus antepasados; es el Dios de sus Padres:

> "Yo soy el Dios de tu Padre, el Dios de Abraham, el Dios de Isaac, el Dios de Jacob." Ex. 3, 6

En estas palabras Dios se manifestó como alguien que ha estado en las raíces y la historia del pueblo.

2. Después de esta presentación, le dice que: no está ajeno a las opresiones y a los sufrimientos de los Hebreos:

"He visto la opresión de mi pueblo en Egipto, he oído sus quejas contra los opresores, me he fijado en sus sufrimientos. Y he bajado a liberarlos . . ."

Ex. 3, 7s

Con estas palabras se manifiesta como un Dios compasivo, sensible y que ha tomado como función propia, la liberación del Pueblo. Esta idea de Dios, un Dios que no está para ser contemplado, sino un Dios activo en la historia humana va a ser fundamental en el futuro del Pueblo, en su fe, sus cultos, su cultura, su esperanza . . .

3. Por fin Dios resuelve el problema de la fe hebrea en Egipto, la cuestión del Nombre:

"Mira —dice Moisés— yo iré a los israelitas y les diré: El Dios de sus padres me ha enviado a ustedes. Si ellos me preguntan cómo se llama, ¿qué les respondo?"

Ex. 3, 13

La respuesta de Dios no fue una palabra, sino una expresión: "YAHVEH". Esta expresión es un tanto extraña y se supone que viene del hebreo antiguo. Su traducción a nuestras lenguas modernas ha sido objeto de muchos estudios. En general suele traducirse en nuestras Biblias de este modo "YO SOY EL QUE SOY", pero también esta expresión resulta un tanto extraña para nosotros: ¿Qué es lo que Dios quiso decir con ella? ¿Qué es lo que el Pueblo entendió . . .?

Algunos han querido ver en esa expresión una relación con el poder de Dios, especialmente con su capacidad de existir por sí mismo y su señorío sobre la Creación. En este caso lo que Dios quería comunicar, podríamos explicarlo así: Yo soy el que existe por mí mismo y todas las demás cosas existen también dependiendo de mí. Esta interpretación sería correcta, pero si nos fijamos en el conjunto de las palabras que revela a Moisés, no parece que esto es lo que Dios quiere comunicar: Dios en esos momentos no está hablando de poder creador, sino de actitud liberadora; Dios quiere sacar a su Pueblo de la esclavitud.

Existe otra interpretación, que nos parece más lógica aunque en nuestras lenguas modernas la traducción resulte un poco dura. YAHVEH significa: YO-SOY-EL-QUE-EXISTE-CON-USTEDES-PARA-LIBERARLOS.

Si nos fijamos en el conjunto del texto, ésta parece que es la idea que Dios quiere comunicar: que no es un Dios ajeno al sufrimiento, que no es un Dios ausente y lejano, sino que es un Dios sensible a la situación del Pueblo y que quiere tomar parte en su historia con una tarea muy concreta: LA LIBERACION. De este modo nos encontramos con que Dios revela su IDENTIDAD con un nombre, o una idea, que significa una tarea liberadora. Por eso el Dios del Exodo no es sobre todo "un Dios de los Cielos" sino "un Dios de la Historia". Es un Dios que ve, oye y conoce el grito del Pueblo que pide justicia y viene a este Pueblo como Dios Liberador.

Podríamos preguntarnos: ¿Por qué Dios se llama a sí mismo con una expresión tan complicada? Realmente no lo sabemos con toda certeza, pero sí podemos suponer que había una razón que llamaríamos pedagógica. El no debería ser mezclado, como un Dios más entre las divinidades de las distintas religiones de aquel tiempo, en las que cada Dios se repartía un poco de la divinidad.

De todos modos lo que sabemos ciertamente es que Dios ha querido revelar su nombre a través de un proceso de experiencias religiosas. Y será Jesús el que definitivamente nos dirá cómo tenemos que llamar a Dios. Su nombre será: ABBA, que significa PADRE o más exactamente PAPA.

El Largo Camino de la Liberación
Una de las primeras tareas de Moisés, como sucederá con

los futuros profetas de todos los tiempos, es la tarea de CONCIENTIZACION. Tarea difícil, como podemos ver en los siguientes capítulos del Exodo. Veamos ahora cómo Moisés lleva a cabo esa tarea:

Al principio el Pueblo no cree; después duda; más tarde, se convence; luego vuelve a dudar, al ser víctima de los castigos más fuertes que los hombres del Faraón le impone. Al final, Moisés pudo convencerles.

La otra tarea de Moisés es: DENUNCIA. Era necesario ir al Faraón y reclamar los derechos del pueblo Hebreo, pero el Faraón no quiere escucharle.

El Faraón resiste por varias razones: razón política, porque la minoría extranjera se está haciendo mayoría; razón militar, porque los Hebreos podrían convertirse en un centro de subversión; razón económica, porque siendo esclavos suministran trabajo de balde.

Contra la resistencia del Faraón, Dios se vale de signos y prodigios para que el Pueblo crea que El está realmente con ellos y para que el Faraón ceda en su actitud de terquedad.

Por fin, el Faraón da el permiso para que salgan y habla así a Moisés:

> "Levántense, salgan de en medio de mi pueblo ustedes con todos los israelitas, vayan a ofrecer culto al Señor como lo han pedido".

> Ex. 12, 31

Pero pronto se arrepiente:

> "¿Qué hemos hecho? —dice— Hemos dejado marchar a nuestros esclavos israelitas. Hizo enganchar un carro y tomó consigo sus tropas".

> Ex. 14, 5-7

Los capítulos 14 y 15 del Exodo nos cuentan el paso del Mar Rojo, la alegría, el agradecimietno a Dios, el triunfo de los débiles sobre los poderosos. Ahora los hebreos tienen ya la experiencia viva de su Dios como Liberador.

Pero pronto comienzan las dificultades. Atrás quedaba
Egipto, la opresión y la esclavitud; en frente se les presenta
un desierto hostil y amenazante. Y comienzan las dudas, el
olvido y el descontento:

> "Ojalá hubiéramos muerto a manos del Señor de
> Egipto —le dicen a Moisés— cuando nos sentábamos
> a la olla de carne y comíamos hasta hartarnos! Nos
> has sacado a este desierto para matar de hambre a
> esta comunidad".   Ex. 16, 3

Y más tarde:

> "Danos agua de beber".

El respondió:

> "¿Por qué se encaran conmigo y tientan al Señor?"

Pero el pueblo, sediento, protestó contra Moisés:

> "¿Por qué nos has sacado de Egipto, para matarnos
> de sed a nosotros, a nuestros hijos y al ganado?"
>   Ex. 17, 2s

No, la liberación no era fácil, porque exigía participación
y sacrificio por parte de los que iban a ser liberados. Pero
los Hebreos, como sucederá tantas veces a lo largo de la
historia de los pueblos y de las personas, querían una liberación cómoda y a su manera. Por eso los distintos "desier-
tos" siempre han sido un lugar de prueba difícil, pero también lugar de Alianza.

Dios y el Pueblo Hacen una Alianza

Yahveh les sigue ayudando, sigue siendo el Dios que vive
con ellos, pero exige además de sacrificio, *fidelidad*. En esta
situación se establece la ALIANZA: *"Yo seré su Dios y ustedes serán mi Pueblo"*.

En adelante Dios ya no será simplemente el Dios de los
Padres, será el que está con el Pueblo para liberarle:

> "Yo soy el Señor, tu Dios, que te saqué de Egipto,
> de la esclavitud".   Ex. 20

Con estas palabras introduce los diez mandamientos que no tienen un sentido legalista. Los Diez mandamientos son la expresión, la respuesta del Pueblo, al Dios de su Historia. Por eso cuando construyen un becerro de oro para adorarlo, Moisés rompe las Tablas de la Ley, porque el cumplimiento de los mandamientos sólo tiene sentido dentro de las palabras de Alianza.

La Alianza es también un reconocimiento de la identidad de Dios y del Pueblo. La identidad de Dios la encuentra en su tarea liberadora; la propia identidad del Pueblo estará en su fidelidad y se expresará en el cumplimiento del Decálogo, "Los Diez Mandamientos".

En adelante el Pueblo continuará su historia entre la dureza del desierto, los pecados y tentaciones, las fidelidades y oraciones . . . cansancio, esperanza y desesperación, muerte y nuevos nacimientos . . . y al final no todos llegaron a la Tierra Prometida. Muchos quedaron enterrados en las arenas cálidas del desierto.

Nuestra Reflexión Sobre el Exodo

Al meditar sobre el Exodo podemos caer en una tentación:

La tentación sería ver la experiencia del Exodo como algo que tuvieron que vivir los hebreos solamente, como un hecho pasado, que deberá ser leído simplemente como historia.

Pienso que debemos salvar esa tentación y encontrar en la experiencia del Exodo, algo en lo que nosotros también hoy estamos implicados.

Sí, nosotros también somos un Pueblo sometido a muchas esclavitudes y opresiones. Pero nuestros opresores, no siempre y no solamente son un pueblo concreto; son todas aquellas personas y leyes y costumbres que siembran la injusticia y las diferentes formas de esclavitud de nuestra sociedad. El opresor es el *pecado del mundo* con su multiplicidad de ramificaciones que nos esclaviza. Por eso nuestra liberación no es principalmente tarea política, sino de conversión y de fidelidad a Dios.

La tarea de la Iglesia, de nosotros los cristianos, deberá ser también de *concientización:* ayudar a que nuestro pueblo caiga en la cuenta de su situación; de *denuncia:* reclamar los derechos de cualquier persona sin distinción de raza ni color, ante los nuevos "faraones" que están en todas las razas y en todas las nacionalidades . . . también en nuestros pueblos y quizás muchas veces en nosotros mismos.

Sí, tenemos que descubrir las opresiones, vengan de quienes vengan sin olvidar que muchos de nosotros estamos en este país, víctimas de la pobreza y de las injusticias sociales, de la falta de libertad . . . por parte de nuestros propios países de origen. Que muchas veces somos nosotros, los hispanos, los que oprimimos a nuestros hermanos.

El idioma de los "faraones" opresores no es necesariamente el inglés, pero sí el PECADO, pronunciado en cualquier acento.

Deberemos recordar también que nuestras tentaciones de desaliento, nuestra adoración al dinero y a los poderes, son obstáculos que se interponen ante nuestro Exodo Liberador.

Por último, digamos, que la llegada a la "TIERRA PROMETIDA" no es algo que va a suceder en toda su plenitud en esta vida, pero es necesario luchar, caminar, dejar nuestras huellas en nuestro "desierto", reforzar nuestra fidelidad al Dios Liberador de nuestros Padres, para que nuestra liberación sea esperanza y también realidad.

Reflexión y Oración

18. Cuando Dios Parece Ausente

> ¿Hasta cuándo, Señor, seguirás olvidándome? ¿Hasta cundo esconderás de mí tu rostro?
>
> ¿Hasta cuándo sentiré recelos en mi alma y tristeza en mi corazón, día tras día? ¿Hasta cuándo me ganarán aquellos que me odian?
>
> SALMO 13, 2-3

La vida es bella pero dura. Con frecuencia nos sentimos prisioneros de tantas y tantas situaciones que no somos capaces de superar: Nos vemos oprimidos y esclavos de las circunstancias. Acudimos a Dios, pero con frecuencia, tenemos la impresión de que Dios está ausente de nuestros problemas: el hijo en la droga, el conflicto en el matrimonio, la falta de empleo, la incomprensión familiar.

Hace más de tres mil años, el Pueblo Hebreo se encontraba esclavizado por los egipcios. Habían llegado allí de muy lejos buscando cómo sobrevivir y pronto encontraron la esclavitud: trabajos forzados, miseria, discriminación... Ellos también, como nosotros, se preguntaban: "¿Dónde está nuestro Dios?" Sin duda alguna, que muchos, ante la impresión de su ausencia, perdieron la fe y la esperanza. Pero estaban equivocados. Porque Dios no estaba ausente.

"El Dios de sus Padres" elige a Moisés para revelarse como el que "escucha" los gemidos del Pueblo y viene a su historia para liberarlos.

Y aquel Pueblo de pobres esclavos, débil, y sin libertad, se siente ahora fuerte y acomete la dura tarea de su liberación, siempre, bajo la presencia del Dios que se les manifestó como "El que existía con ellos".

Señor, nosotros también muchas veces nos sentimos sometidos a tantos y tantos sufrimientos . . . y también a veces tenemos la tentación de perder la fe y la esperanza en Ti. Por eso muchos de nuestros hermanos hispanos te han dejado ya.

Revélate también hoy a nosotros, como lo hicieras con el Pueblo Hebreo: como el Dios que no está ausente de nuestros problemas. Revélate como un "Vecino" que está y vive con nosotros; y devuelve también a nuestro Pueblo, la fe y la esperanza que nos transmitieron nuestros padres.

19. ¿De Quién Somos Esclavos?

"Más tú, Señor, de mí no te separes,
auxilio mío, corre a socorrerme."

Salmo 22, 20

Los hebreos tenían muy claro que ellos eran esclavos de los egipcios. Pero ¿de quién somos esclavos nosotros? Hoy los que esclavizan, los opresores no tienen nacionalidad, o si ustedes quieren, pertenecen a todas las nacionalidades. No, no es un pueblo y una bandera concreta lo que nos esclaviza, es el pecado del mundo y nuestros propios pecados:

La injusticia, venga de quien venga;

El racismo de cualquier ideología o color;

La adoración al dinero por parte del pobre o del rico;

La competición que un día nos lleva a pisar, y otro a ser pisados. La que se da en los altos puestos, y la que se da en los puestos más bajos.

La explotación del que hace dinero, mucho o poco, a costa del otro.

La falta de justicia y solidaridad de las grandes estructuras socio-políticas, y de las pequeñas estructuras: de mi barrio, de mi edificio, de mi familia . . .

Cuántas y cuántas opresiones . . . y no olvidemos que algunas de ellas vienen sólo de nosotros mismos. Sí, el pecado venga de quien venga, tenga la nacionalidad que tenga, es siempre opresión, falta de libertad, falta de amor, soledad y esclavitud.

Por eso nosotros necesitamos liberarnos de las injusticias de los sistemas sociales, de las discriminaciones laborales, pero también, y sobre todo, necesitamos liberarnos de nuestras propias esclavitudes, de nuestros pecados.

Señor, hoy te pido sinceridad para que yo vea en mi con-

ciencia, aquello que hay en mí mismo de opresor y de injusticia. Danos a todos valentía y sinceridad para que nos dejemos liberar por Tí.

Perdona nuestro individualismo, ese modo racista de discriminar a todos; nuestra falta de generosidad, ese egoísmo que en vez de liberar, esclaviza; nuestra hipocresía, esa falta de sinceridad que engaña a los demás y también a nosotros mismos.

Señor, te pedimos que seas tú solo nuestro Dios.

20. La Alegría de la Liberación

> *Yo sé que el Señor es grande, nuestro Dios sobrepasa a todos los dioses. El Señor hace cuanto quiere en el cielo y en la tierra, el mar y los abismos.*
>
> SALMO 135, 5-6

A lo largo de la vida, sin duda, que hemos pasado momentos de verdadera felicidad y alegría: una buena noticia, la solución de un problema, el éxito de un hijo, el encuentro con un ser querido . . . Entre esas alegrías, quizás podamos encontrar aquellos momentos en que después de una lucha, nos hemos acercado de nuevo a Dios. Quizás después de un retiro, en el cursillo, o al terminar una confesión . . . Entonces el mundo nos pareció nuevo porque lo veíamos con los ojos limpios del que encontró a Dios . . . nos sentíamos como liberados de un peso: El encuentro con Dios siempre es Liberación.

Esto fue lo que sintieron los Hebreos después de pasar el Mar Rojo. No fue sobre todo la alegría de unos esclavos liberados, ni la de unos guerreros que ganan una batalla a los poderosos egipcios, sobre todo fue la alegría de un Pueblo que al fin encuentra el rostro de Dios interviniendo en su Historia como Liberador. Tuvieron que ser momentos de verdadera felicidad un pueblo que comparte la libertad, que se siente unido por la fe y la presencia de un Dios Bueno, que quiere hacer la historia con ellos.

Señor, ante todo gracias por todos los momentos en los que te hemos sentido cerca. Gracias por la alegría que nos has concedido, cuando hemos visto tu presencia en nuestra historia.

Señor, todos los hombres y mujeres de esta tierra andamos ansiosos buscando la felicidad. A veces la perseguimos en las cosas o en el dinero, en los honores o en la vanidad. Ayúdanos a comprender que cuando obramos así, nos equivocamos.

Señor, que todos veamos que la felicidad y la alegría sólo está en Ti, porque Tú eres y das lo que con más ansia buscamos: AMOR Y LIBERACION.

21. Cuando el Horizonte del Desierto nos Deja sin Esperanza

Aunque el justo padezca muchos males, de todos el Señor lo librará.

SALMO 34, 20

Quizás más de una vez en tu vida después de un fracaso, una misión, una jornada de cursillos, un retiro... has decidido cambiar. Has comenzado bien, pero vinieron las dificultades, el cansancio, la monotonía, la debilidad en la lucha por la superación... y ahora, ¿Cómo te encuentras?

Los Hebreos se sintieron contentos, optimistas, dispuestos a comenzar una nueva vida y a afrontar las dificultades y las arideces del desierto, cuando cruzaron el Mar Rojo y vieron a sus opresores, los egipcios, derrotados. Pero después, también a muchos de ellos les vino el cansancio y la falta de esperanza.

"Para esto nos has traído —le decían a Moisés— preferíamos seguir siendo esclavos en Egipto".

Afrontar un camino de liberación y conversión es duro, porque de un modo u otro, siempre habrá "un desierto" que atravesar.

Cuando tú te desanimaste y dejaste tus buenos propósitos, fue también la dureza y la aridez de tu "desierto" lo que te dejó sin fuerzas y sin esperanza. Sin embargo para ellos, lo mismo que para tí, la liberación y la libertad están más allá del desierto... y por eso nosotros, lo mismo que ellos, necesitamos atravesarlo.

Señor, hoy te pedimos por tantas personas de buena voluntad, que se han desanimado en el camino: esposos que ante la crisis se separan; jóvenes que ante la tentación renuncian a la fe, cambiándola por otra cosa cualquiera; tantos hombres y mujeres que te buscaban, pero que un día se cansaron y dejaron de caminar.

Señor, Tú sabes que el camino es duro, y que muchas veces perdemos la esperanza.

Danos fuerza para seguir, danos valentía y fortaleza para volver a comenzar si nos hemos parado.

Danos ESPERANZA.

22. Los Añicos de las Tablas de la Ley

*Feliz el hombre que pone en Dios
su confianza, y no se mezcla con los
rebeldes, extraviados por sus mentiras.*
SALMO 40, 5

A veces pensamos en confesarnos, pero no encontramos
de qué acusarnos . . . nada especial. Es posible que seamos
tan santos, que no tengamos pecado alguno; pero también,
es posible que no hayamos hecho un buen examen de conciencia.

Un día Moisés subió al Monte para hablar con Dios. El
Pueblo quedó en el valle. Querían adorar y dar culto a un
Dios y para ello se construyeron un becerro de oro. Estaban
contentos adorando a aquel Dios que no era el suyo, no era
el que les había liberado de la esclavitud.

El primer mandamiento de las Tablas de la Ley les
decía así:

"Yo soy el Señor, tu Dios, que te saqué de Egipto, de
la esclavitud. No tendrás otros dioses rivales míos..."
Ex. 20, 2-3

pero se habían olvidado.

Moisés bajó del Monte y al ver esto, no les dio las Tablas
de la Ley para que examinaran su conciencia, sino que aira-
do las tiró al suelo y las rompió en añicos.

Moisés estaba acertado, porque cuando lo más profundo
de tu ser ha abandonado a Dios, no tiene sentido examinar
la conciencia por las Tablas de la Ley.

A veces también nosotros hemos hecho nuestro ídolo al
que adoramos, bajo el nombre de dinero, comodidad, orgullo. Si así fuera en realidad, nuestra tarea antes de comenzar a examinar nuestra conciencia, debería ser la de purifi-
car nuestra actitud: ¿Es para nosotros el Señor, realmente,
nuestro Dios? . . .

Después, sí, después tendremos que recoger los añicos de las Tablas de la ley para recomponerlas y examinar con ellas nuestra conciencia. Seguramente que entonces tendremos algo de qué arrepentirnos.

Señor, danos sinceridad para que conozcamos si realmente te estamos adorando a Ti, o estamos adorando a otros dioses. Que nuestra conciencia no se quede tranquila por pensar que no hacemos nada malo, hasta que veamos si realmente Tú eres de verdad el Señor, Nuestro Dios.

23. Dios es Celoso

Señor, tú eres mi Dios, a tí te busco
mi alma tiene sed de ti, en pos de ti
mi carne desfallece cual tierra seca,
sedienta, sin agua.   Salmo 63, 2

Se da con frecuencia entre nosotros el no romper del todo con Dios, pero tampoco le adoramos a El sólo y con exclusividad.

Vamos a Misa, sí; pero no somos hermanos.

Nos llamamos católicos, llevamos nuestros hijos a bautizar; pero no nos casamos por la Iglesia.

Condenamos y criticamos los pecados de los demás, pero disculpamos y vemos los nuestros como algo natural . . .

Dios, muchas veces en la Biblia, se nos revela como un Dios celoso, un Dios que exige fidelidad y no está dispuesto a compartir nuestra conciencia con otros dioses y con otros valores que no sean los suyos. Ya al comienzo de las Tablas de la Ley decía así:

"No te postrarás ante otros dioses, ni les darás culto;
porque yo, el Señor, tu Dios, soy un Dios Celoso."
Ex. 20, 5

No, amigos, Dios no se conforma con actitudes mediocres, que al mismo tiempo de darle culto a El, están dando culto a otras cosas.

Dios *no negocia*. No se trata de que le demos un poco de nuestro corazón, para que El nos ayude como recompensa; Dios hace *alianza*, algo así como un matrimonio, en el que se exige fidelidad, el amor y el corazón entero.

Señor, perdona nuestra mediocridad, nuestra doble vida: un poco contigo y otro poco coqueteando con las cosas. Perdónanos, cuando en nuestras oraciones te tratamos como negociando: Te pedimos esto y te prometemos esto otro.

Señor, que comprendamos que el amor que nos entregas y el que nos exiges, no tienen límites.

71

24. Los que Murieron en el Desierto

> *¡Oh Dios, sálvame!, porque las aguas me llegan hasta el cuello.*
>
> *Me estoy hundiendo en profundos barrizales, no hay dónde apoyar el pie.*
>
> *Me estoy sumergiendo en profundas aguas y las olas me cubren.*
>
> *Me he cansado de gritar, mi garganta está ronca. Mis ojos están cansados de tanto esperar a mi Dios.*
>
> SALMO 69, 2-4

Muchas personas, ya mayores, en nuestro pueblo hispano, se sienten cansadas. Cuando miran al pasado, cuántos sacrificios; vida dura, trabajo; muchas veces humillaciones y desprecios . . . había que luchar, había que seguir caminando para sacar la familia adelante.

Pero ahora, son muchas veces los propios hijos, los que ni se lo reconocen, ni se lo agradecen.

Más de una vez he oído frases como esta: "Hemos sido tontos, tanto sacrificarse para nada . . . ellos viven ahora mucho mejor que nosotros, pero no nos lo agradecen."

La Biblia nos dice, que fueron muchos los israelitas que emprendieron la difícil tarea de atravesar el desierto, pero la mayor parte no llegaron al final, llegaron sus hijos.

Sin embargo, ¿no piensan que tenía sentido el caminar y dejar las huellas arenosas y secas en el desierto, para que sus hijos pudieran llegar a la Tierra Prometida?

Si usted en su vida se ha sacrificado y ha caminado por su "desierto" también en la aridez y la sequedad, para dejar una vida mejor a sus hijos, no se sienta triste, no se arrepienta de haberlo hecho, aunque usted tampoco llegue a la Tierra Prometida.

Señor, hoy te pedimos de un modo especial por nuestros padres y nuestros ancianos. Fue mucho lo que han tenido que luchar, su vida dura. Ahora gran parte de los que todavía viven, se encuentran sumergidos en la soledad. Habían dejado los colores y el paisaje de su tierra para preparar un futuro mejor a sus hijos.

Pero, cuántos se han quedado sin el calor de su tierra y también sin el de sus hijos.

Danos comprensión y agradecimiento profundo por todo lo que han hecho nuestros padres y ancianos por las nuevas generaciones. Pero sobre todo, Señor, a ellos, dales fortaleza y esperanza.

25. La Soledad del Líder

Pero siempre a tu lado yo estaré, de la mano derecha me tomaste. Con tu consejo tú me irás guiando hasta llevarme a la gloria contigo. Fuera de ti, ¿qué hay para mí en los cielos? Sólo a ti, y nada más, quiero en la tierra.

SALMO 73, 23-25

Muchas veces al hablar del pueblo hispano en este país, nos quejamos de la escasez de líderes, de que son pocos, de que muchos están mal preparados, de que algunos vienen a hacer política y no a servir.

Moisés fue un gran líder, preparado especialmente por el mismo Dios. Alcanzó grandes cosas con su Pueblo, nada menos que sacarlos de la esclavitud y hacer una Alianza con Dios. Tuvo también sus defectos . . .

Una de las cosas que sorprenden, si se lee con detenimiento el libro del Exodo, es su soledad. El Faraón no le hacía caso. El pueblo prefería la esclavitud conocida, que arriesgarse y enfrentarse con lo desconocido. Por otra parte Dios, le exigía constancia y fidelidad.

Y Moisés fue un gran líder porque fue fiel, a pesar de las dificultades y de su soledad, a su pueblo y a Dios. Supo negociar con el Faraón; acertó a conducir al pueblo por el desierto, supo comprender e interceder ante Dios por sus hermanos desagradecidos, cuando cambiaron al Dios Liberador por un becerro de oro.

Pero su vida fue dura y él nunca pudo ver la Tierra Prometida.

No, la vida del líder no puede ser fácil ni agradable. Muchas veces tendrá que ser traicionado, criticado y casi siempre sólo, en los momentos de mayor dificultad. Pero esa es la vocación del líder: conducir, concientizar, comprender, interceder ... por su comunidad aunque ésta a veces, le dejo solo ... es dura porque su vocación es servir.

Señor, hoy te pido por nuestros líderes. A ellos dales acierto, constancia y honestidad en su trabajo ... dales esperanza aunque ellos tampoco lleguen a ver la Tierra Prometida. A todos danos comprensión y responsabilidad para que seamos un pueblo sensato y ellos se sientan menos solos.

26. Tal vez un Día tu Hijo te Pregunte

Tal vez un día tu hijo te pregunte: "¿Qué son estos preceptos, mandamientos y normas que Yavé les ha ordenado? Tú responderás a tu hijo: "Nosotros éramos esclavos del Faraón, en Egipto, y Yavé nos sacó de Egipto con la fuerza de su mano. Lo vimos hacer milagros, grandes y terribles prodigios contra Faraón y toda su gente. Y a nosotros nos sacó de allí para conducirnos a la tierra que prometió a nuestros padres. Yavé nos ha ordenado poner en práctica todos estos preceptos y temerle a El, nuestro Dios. Así seremos felices y nos hará vivir como hasta hoy. Y seremos perfectos a sus ojos si guardamos y practicamos estos mandamientos como él nos ha ordenado".

Dt. 6, 20-25

Era de noche. Una madre apretaba en su regazo al hijo frío y muerto. Había luchado mucho, había recorrido todos los médicos, también había rezado... Ahora me decía: "Si Dios es bueno, ¿cómo es posible que me haga esto?"

La vida tiene momentos muy duros, quizás los más difíciles son aquellos en los que nos tenemos que enfrentar con la muerte y con el aparente silencio de Dios.

Un escritor moderno ha dicho "que la vida es absurda, que el hombre es un ser para la muerte y que Dios no existe". Este podría ser el resumen del "credo" del que no cree en Dios.

Los que aceptamos la Biblia tenemos otro "credo" muy distinto.

Podríamos decir que toda la Biblia es como UN CREDO, expresado de distintas formas, en un Dios que es ante todo Bueno y que todo lo que crea es bueno; que ve al pueblo cuando está oprimido; que escucha sus gemidos y que baja como liberador.

Precisamente el primer credo, el más antiguo, es la profesión de Fe en un Dios Liberador. Dice así:

"Mi padre era un arameo errante que bajó a Egipto y fue a refugiarse allí, siendo pocos aún; pero en ese país se hizo una nación grande y poderosa. Los egipcios nos maltrataron, nos oprimieron y nos impusieron dura servidumbre. Llamamos entonces a Yavé, Dios de nuestros padres, y Yavé nos escuchó, vio nuestra humillación, nuestros duros trabajos y la opresión a que estábamos sometidos. El nos sacó de Egipto con mano firme, demostrando su poder con señales y milagros que sembraron el terror. Y nos trajo aquí para darnos esta tierra que mana leche y miel. Y ahora vengo a ofrecer los primeros productos de la tierra que tú, Yavé, me has dado."

Dt. 26, 6-10

Dios de la liberación, ayúdanos a creer en Ti a pesar de tu aparente silencio en el "desierto" de nuestros momentos de dolor.

Que comprendamos que la dureza de la vida no es tortura, ni absurdo, sino purificación.

Que confiemos en Ti y esperemos que después del "desierto" no hay más "desierto", sino Tierra prometida que es Paraíso para siempre, en el que tu abrazo es liberación.

Que digamos a nuestros hijos que, creyendo en Ti, también ellos serán felices.

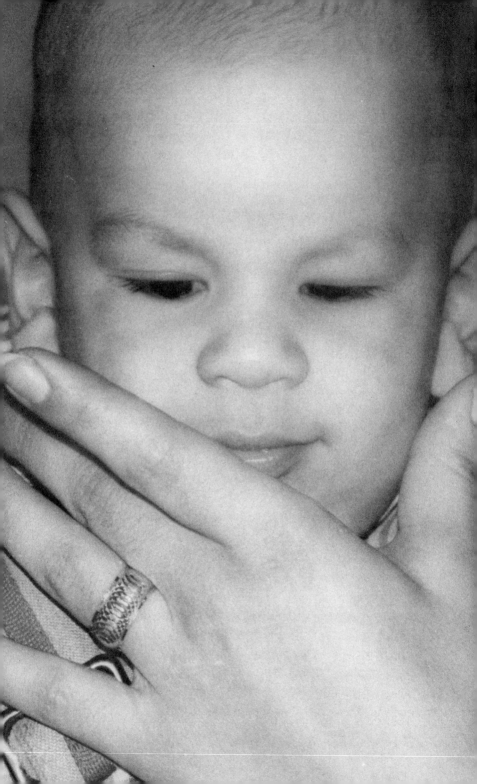

*Un niño necesita del calor y la
protección; necesita ser cuidado,
alimentado... Hace dos mil años Dios
se hizo niño en Jesús.*

III

Creo en Jesús de Nazaret

No es posible escribir una biografía completa de Jesús, en el sentido moderno de biografía. Si nos fijamos en su vida —desde que nace hasta que muere—, nos encontramos con que nos faltan datos. Tenemos detalles de su nacimiento, pero en realidad sabemos muy poco de su familia, no sabemos nada de su vida como emigrante en Egipto. Después del episodio del Templo, cuando tenía doce años, hasta aproximadamente los treinta, en que aparece siendo bautizado por Juan, los Evangelios casi no nos dicen nada. De su vida pública sí poseemos gran cantidad de datos: milagros, conversaciones, predicación... pero tampoco podemos afirmar que tengamos todos los que hubiéramos deseado, para hacer la biografía de Jesús.

Las fuentes que poseemos para conocer su vida son los libros del Nuevo Testamento, —sobre todo los cuatro evangelios— así como también algunos documentos de historiadores de aquel tiempo y las actas de la oficina de Pilatos. Pero estos últimos son muy breves y se refieren a su muerte casi exclusivamente.

Muchos se han preguntado: ¿por qué los evangelistas no nos cuentan más detalles de la vida de Jesús? La respuesta es bastante clara: ellos no intentaban ser historiadores; tampoco pretendieron escribir la biografía de Jesús. Lo que ellos intentaron, de distintos modos, según la comunidad a la que se dirigían, fue presentar LA BUENA NOTICIA del Padre, anunciada por Jesús.

Y es que Jesús no se presenta a sí mismo como el centro de su predicación; El anuncia al Padre y su Buena Noticia: EL REINADO DE DIOS.

Sin embargo la vida de Jesús por ser El, el PROFETA de este mensaje y también el MODELO de persona cristiana, tiene una gran importancia para nosotros. Importancia que no es solamente curiosidad, sino reflexión y meditación, puesto que Jesús no sólo deberá ser *escuchado;* deberá también ser *imitado* y *seguido.*

En estas páginas no intentamos hacer una pequeña biografía de Jesús, pero sí una meditación sobre algunos de los aspectos de su vida.

Dios se Encarna en Nuestra Historia con Rostro de Persona Humana

Jesús nace en Belén

Después de la experiencia liberadora de Dios, el Exodo, y la llegada a la Tierra Prometida, el pueblo Hebreo siguió sufriendo muchas y muy diversas opresiones. Y Dios, por su parte, seguía anunciando, por medio de los Profetas, sobre todo, la liberación definitiva.

Ahora los hebreos, en Israel, eran una colonia de los romanos. Unos seguían esperando que Dios viniera a salvarlos; otros ponían más fuerza en las formas externas de la religión y la ley que en la misma esperanza; otros, ya no esperaban...

En estas circunstancias, también de opresión, Dios viene de nuevo a salvar a su Pueblo. Pero en esta ocasión, no envía simplemente a un profeta; El se hace hombre: Jesús.

Decir que *Dios se hace hombre,* es afirmar que sin dejar de ser Dios, se hace persona humana con todas sus consecuencias, igual a cualquiera de nosotros, "excepto en el pecado". A esta expresión —Dios se hace hombre— es necesario que le demos todo el significado que contienen estas palabras. Jesús no fue Dios disfrazado de hombre; fue realmente Encarnación: *Dios y hombre.*

Tiene sus Raíces en el Pueblo

Si tomamos el Evangelio de S. Mateo en su capítulo I, nos encontramos con una lista de nombres que titula: Genealogía de Jesús. Lo mismo hace S. Lucas en el capítulo 3, 23-38. La lectura de estas páginas puede resultar monótona, pero esta dificultad no nos debería impedir reconocer su profundo sentido: Dios no sólo se encarna en la humanidad, se encarna como uno más, con unos antepasados entre los que podemos encontrar de todo, —desde prostitutas hasta santos—, como puede suceder en los antepasados de cualquier persona humana.

Se Hace Pobre

María y José, los padres de Jesús, aparecen como un matrimonio pobre y sencillo, uno más entre tantos de aquella sociedad. Dios elige esta clase social, —la de los pobres— para encarnarse.

Estamos acostumbrados a contemplar el nacimiento de Jesús, —la Navidad—, llena de romanticismos e idealismos, pero es necesario que todo esto, no nos oculte la realidad cruda: *Dios se hizo un pobre más, en un pueblo de pobres.*

Uno más del Pueblo

Por motivos de persecución, Jesús y sus padres se ven obligados a emigrar a Egipto. No sabemos exactamente cuánto tiempo estuvieron allí, pero por los datos que poseemos, puede afirmarse que su condición de emigrantes no duró largo tiempo.

¿Y después? Muy poco nos cuentan los Evangelios de la llamada "vida oculta" de Jesús. Pero parece que su vida de niño, y más tarde de adulto, fue la de uno de tantos del pueblo, sin prodigios ni milagros. Afirmar esto a algunos les puede parecer que no tiene fundamento, pero pienso que sí. Fijémonos en dos datos que nos cuentan los evangelios.

El primer dato significativo lo encontramos en S. Lucas 2, 41-52. Los padres de Jesús iban todos los años al Templo de Jerusalén. Cuando Jesús tenía doce años, fue con ellos y se quedó en el Templo sin saberlo sus padres. Estos le buscaron durante tres días; cuando le encontraron, María le dice:

> "Hijo, ¿por qué has hecho esto? Tu padre y yo angustiados te andábamos buscando."

Jesús le responde, pero su respuesta no fue comprendida por sus padres. El capítulo termina con estas palabras:

> "Mientras tanto, Jesús crecía y se iba haciendo hombre hecho y derecho, tanto para Dios como para los hombres."
>
> Lc. 2, 52

Sin duda que todo este pasaje meditado con seriedad, nos asoma a un profundo misterio de la Encarnación: *Dios se hizo uno más;* un niño sujeto a sus padres, que crecía como otro cualquiera y que progresaba en sus conocimientos sobre la vida.

El otro dato interesante aparece en los tres Evangelios

sinópticos (Mateo, Marcos y Lucas). Jesús ha comenzado ya su vida pública y regresa a Nazaret. Era sábado; se puso a enseñar en la Sinagoga, pero la gente, —sus vecinos—, no esperaban esto de El y por eso se preguntaban asombrados:

"¿Dónde ha aprendido todo esto? Y, ¿de dónde le viene esta sabiduría y este poder de milagros? No es éste el carpintero . . ." Mc. 6, 2, s.

"¿De dónde le ha llegado tanta sabiduría y ese poder de hacer milagros? ¿No es el hijo del carpintero?" Mt. 13, 54s.

"¿No es el hijo de José?" Lc. 4, 22

Pienso que estas preguntas de sus paisanos, son para nosotros una respuesta: realmente, Dios se hizo uno más: pobre, emigrante, niño, carpintero . . . un hombre del pueblo.

Quizás a alguno se le ocurra preguntarse, por qué Jesús no comenzó ya desde el principio a predicar el mensaje liberador del Padre. No hay duda de que estos años de "vida oculta" son difíciles de comprender con nuestra mentalidad de eficacia. No, no parece lógico que Dios decida hacerse hombre durante treinta y tres años y que sólo emplee dos años poco más o menos, en la predicación y el apostolado. Sin embargo, así fue, y ese silencio de Dios, de treinta años en la vida de Jesús, es también revelación y anuncio de liberación. Con ojos de fe, el silencio, es la Palabra más sonora en medio de tanta charlatanería.

Las Tentaciones en el "Desierto"

Afirmar que Jesús tuvo tentaciones puede sonar un poco irrespetuoso. ¿Es posible que Jesús haya sido tentado? Responder afirmativamente sería atrevido, si no estuviera tan claro en los Evangelios, que Jesús fue realmente tentado.

Tuvo tentaciones porque fue hombre y la tentación es algo en lo que está constantemente envuelta la existencia

83

humana. Pero la tentación no es algo malo. Es un momento de la existencia en el cual la persona radicalmente se hace libertad y elige: *con Dios o contra Dios*. Por eso la tentación es peligro y al mismo tiempo oportunidad. Peligro de perder a Dios y oportunidad de afirmarle. En cierto sentido podríamos decir que no se dan tentaciones en la vida, sino que la vida es tentación. Los momentos que llamamos "tentaciones", no son más que puntos críticos que nos pueden llevar a renunciar de Dios o a afirmar más nuestra identidad con El.

Los Evangelios nos dicen que Jesús fue al desierto llevado por el Espíritu para ser tentado. Allí estuvo cuarenta días y fue tentado de tres modos diferentes.

Primera Tentación

"Entonces, se le acercó el tentador y le dijo: "Si eres Hijo de Dios, ordena que estas piedras se conviertan en pan." Pero Jesús respondió: "Dice la Escritura que el hombre no vive solamente de pan, sino de toda palabra que sale de la boca de Dios."

MAT. 4, 3 s.

En principio la proposición no parece tan mala. Jesús llevaba ayunando muchos días, tenía hambre y también poder para covertir piedras en pan, ¿qué había de malo que lo hiciera? No haría mal a nadie; y por otra parte podría probar al tentador y a sí mismo, que El realmente era el Hijo de Dios.

Sin embargo, Jesús rechaza este pensamiento porque lo considera tentación. Su respuesta está tomada del libro del Deuteronomio 8, 3. Aquí se hacía alusión a la tentación de los Hebreos en el desierto cuando pedían a Moisés un signo que les probara con algún milagro que realmente Yahveh estaba con ellos. Esto se nos cuenta en Exodo 17, 2 ss.

Evidentemente que Jesús tenía poder para realizar milagros, pero su poder no debería ser utilizado para servirse a sí mismo, para conseguir pan o para buscarse la comprobación de que realmente El era el Hijo de Dios. Este poder lo tenía para servir a los demás y para probar al mundo, con signos, que El era el Enviado del Padre.

Esta tentación no le vino sólo al final de los cuarenta días, la tuvo también en "el desierto" de su vida y muy especialmente en los momentos más radicales de su agonía: "Si tú eres el rey de los judíos, sálvate a ti mismo." (Lc. 23, 37)

Segunda Tentación

"Después de esto, el diablo lo llevó a la Ciudad Santa, y lo puso en la parte más alta del templo y le dijo: "Si eres el Hijo de Dios, tírate de aquí abajo. Puesto que la Escritura dice: Dios ordenará a sus ángeles que te lleven en sus manos para que tus pies no tropiecen en piedra alguna."   MAT. 4, 5-7

Esta segunda se parece mucho a la primera, pero tiene un matiz diferente. Aquí no es Jesús el que deberá hacer el milagro; deberá ser Dios para confirmarle que El realmente es su Hijo. Pero la tentación puede tener también una apariencia de apostolado. Sin duda que si Jesús se tira y no sufre lesión, habría causado gran admiración entre la gente.

¿No creen ustedes que en realidad podría tomarse, no como una tentación, sino más bien como una sugerencia apostólica? Jesús rechazó esto también como una verdadera tentación. ¿Por qué? Tentación es todo aquello que nos invita a hacer algo distinto de la voluntad de Dios, algo que nos propone apartarnos de nuestra vocación. La voluntad del Padre no era que la misión de Jesús estuviera en el marco del éxito, de la vanidad y del triunfo. Más tarde, cuando levantan a Jesús crucificado, esta tentación va a volver casi con las mismas palabras:

"Que ese Cristo, ese rey de Israel, baje ahora de la cruz para que lo veamos y creamos." (Mc. 15, 32)

Pero entre el extraordinario portento de bajar de la cruz y el escándalo de morir en ella, Dios escogió esto último como símbolo de liberación y manifestación de amor "hasta el fin".

Tercera Tentación

Esta es completamente descarada:

> "En seguida lo llevó el diablo a un cerro muy alto, le mostró la grandeza de todos los reinos del mundo y le dijo 'Te daré esto si te hincas delante de mi y me adoras.'"
>
> Mt. 4, 8s.

Hasta ahora las tentaciones habían sido una amenaza a la identidad de su Persona; ahora se le tienta a que sea abiertamente infiel a su misión.

La tentación nos recuerda aquel pasaje que nos cuentan los evangelios después del milagro de la multiplicación de los panes, el pueblo quiere hacerle un rey político. En esta ocasión Jesús se ocultó y se fue a hacer oración.

Pero quizás el paralelismo es todavía mayor en la conversación con Pedro en Cesarea de Filipo. Jesús había preguntado a sus discípulos "¿Quién dice la gente que es el Hijo del Hombre?" Después de la confesión de Pedro, "Tú eres el Mesías, el Hijo de Dios vivo". Jesús les explica cómo era necesaria su pasión. "Pedro, tomándolo aparte, se puso a reprenderlo, diciéndole: "¡Dios te libre, Señor! No, no pueden suceder esas cosas."

La respuesta de Jesús es dura y tiene muchas semejanzas con la que le da al tentador en esta tercera tentación:

> A Pedro le dice: "Quítate de delante de mí Satanás; tú ahora me quieres desviar. No piensas como Dios, sino como los hombres."
>
> Mt. 16, 23

En el desierto había respondido:

> "Aléjate de mí, Satanás, porque dice la Escritura: Adorarás al Señor, tu Dios, a El sólo servirás."
>
> Mt. 4, 10

Al citar la Escritura se está refiriendo a los distintos pasajes del Exodo en los que Dios exige una alianza de exclusividad. (Cfr. Ex. 20, 3 ss; 34, 11-17).

Al decirle a Pedro que le quiere "desviar", Jesús se está refiriendo a su fidelidad a esa alianza con Dios. De hecho, toda tentación nos propone no ser fieles a la alianza con Dios. Así había sucedido con el Pueblo Hebreo en el desierto, camino de la Tierra Prometida. En este caso sus caídas, —su falta de fidelidad— fueron frecuentes. Jesús fue tentado de la misma manera, pero no hubo caídas sino *fidelidad total.*

La Vida Pública

No sabemos exactamente cuánto duró la vida pública de Jesús; quizás sólo unos dos años. Sin embargo los Evangelios nos ofrecen muchos datos de este período: un tiempo lleno de actividad, sorpresas, seguidores y enemigos.

Jesús Elige unos Compañeros

Ya desde el comienzo llama a algunos para que le sigan, vivan con El y sean sus compañeros. Su exigencia es absoluta: *dejarlo todo.* Estos compañeros fueron los doce apóstoles. Pero aparecen otros grupos que también le siguen, como los setenta y dos, un grupo de mujeres convertidas . . .

Gran parte del tiempo lo dedica a instruir a los apóstoles. Con frecuencia los Evangelios nos cuentan las explicaciones que les da y a veces cómo se retiraba con ellos para instruirles.

Pero, ¿quiénes fueron estos compañeros de Jesús? Estamos acostumbrados a llamarles "santos" y está bien porque lo fueron; sin embargo este título no debiera ocultarnos su realidad de hombres normales, muchos de ellos de procedencia muy humilde, sin cultura y sin dinero; con caracteres y modos de ser muy diversos; con rasgos profundamente humanos que les llevarán desde la generosidad hasta la infidelidad.

A pesar de la constante instrucción de Jesús, los apóstoles no comprendían la mayor parte de las cosas que les explicaba, y muy especialmente el sentido de su muerte y por tanto su original camino de liberación. Vemos cómo en la última Cena los doce seguían todavía sin entender.

La elección de estos apóstoles nos lleva una vez más a asombrarnos ante el modo que Dios tiene de hacer las cosas. ¿No parecería mucho más sensato que Jesús eligiera a personas cultas, a filósofos griegos o romanos, o por lo menos a algunos sacerdotes y fariseos de su tiempo? Pero escoge a unos laicos; la mayor parte de ellos sin cultura, y muchos, sin duda, no sabían leer ni escribir.

Anuncia la Buena Noticia

Jesús no se estabiliza, no tiene casa; lo que tiene es una tarea que le lleva de una parte a otra anunciando que Dios está con nosotros y que su nombre es ABBA, es decir PAPA.

Este Evangelio va dirigido a todos, pero de un modo especial a los marginados, a los sin-poder, a los desheredados, al pueblo sencillo, a los impuros y pecadores. Por eso se le acusará de andar y comer con publicanos y pecadores. Y era verdad. Jesús aceptaba a estas personas, aunque no sus pecados, y vemos que una de sus tareas era también perdonar e invitarles a no pecar más. Esta falta de discriminación era una dura denuncia a los "puros" y clasistas de su sociedad.

Realiza Milagros

Son muchos los prodigios y milagros que se nos cuentan en los Evangelios, pero el fin no era simplemente manifestar su poder, ni tampoco principalmente, remediar las miserias y el dolor. Los milagros ante todo eran SIGNOS de que El había sido enviado por el Padre. Los milagros no aparecen como un fin, sino como un medio de anuncio y conversión: *"Para que crean que Tu me has enviado."*

También los más privilegiados de estos "signos" de Jesús fueron los marginados: los leprosos, los ciegos, los pecadores . . . Esta actitud era también una prueba de que El era el Mesías.

"Fue a Nazaret, donde se había criado, y según acostumbraba entró el día sábado a la sinagoga. Cuando se levantó para hacer la lectura, le pasaron el libro y halló el pasaje en que se lee:
El Espíritu del Señor está sobre mí, por el que me consagró.
Me envió a traer la Buena Nueva a los pobres, a anunciar a los cautivos su libertad y a los ciegos que pronto van a ver. A despedir libres a los oprimidos y a proclamar el año de la gracia del Señor.
Jesús, entonces, enrolla el libro, lo devuelve al ayudante y se sienta. Y todos los presentes tenían los ojos fijos en él. Empezó a decirles: "Hoy se cumplen estas profecías que acaban de escuchar." Y mientras salían de su boca las palabras de la gracia, todos lo aprobaban."

Lc. 4, 16-22

En otra ocasión Juan Bautista envía a sus discípulos para que averigüen si El es el Mesías:
"¿Eres tú el que debe venir, o debemos esperar a otro?"
"En ese momento, Jesús sanaba a varias personas afligidas de enfermedades, de achaques, de espíritus malignos, y devolvía la vista a algunos ciegos. Jesús, pues, contestó a los mensajeros: "¡Vayan a contarle a Juan lo que han visto y oído: los ciegos ven, los cojos andan, los leprosos son purificados, los sordos oyen, los muertos resucitan, se anuncia la Buena Nueva a los pobres e infelices aquellos que no dudan de mí después de haberme visto!"

Lc. 7, 21-23

La Paradoja Poder-Debilidad

Uno de los grandes contrastes de la vida de Jesús está en esas imágenes en las cuales se ve en unos momentos el poder y en otros la "debilidad" de hombre. Anda sobre las aguas, cura, resucita a muertos... pero también es un hombre que llora, siente compasión, soledad, suda sangre ante la muerte, no comprende el silencio de Dios cuando está en la cruz... sin embargo, esta paradoja no es más que la expresión de la otra paradoja más profunda que se da en El: *el ser hombre y Dios al mismo tiempo.*

Jesús Ora

Esta es otra de las actividades que aparecen como normales en su vida pública. La oración de Jesús parece constante y como algo cotidiano en su vida. Es tan normal que a veces se nos pasa por alto. Pero de hecho los evangelistas, especialmente S. Lucas, nos lo presentan muchas veces orando: Simplemente indican que oraba, como por ejemplo en Mc. 1, 35; 6, 46; 14, 32s; Lc. 3, 21; 5, 16; 6, 12; 9, 18; 9, 28, 29; 11, 1; 22, 41; en otros lugares esta oración aparece expresamente como una actividad integrante de su ministerio; así por ejemplo: Mt. 14, 19; Mc. 6, 41; 7, 34; Lc. 9, 16; Jn. 11, 41s; es Lucas quien especialmente remarca que la oración está ligada a su misión: 3, 21; 5, 16; 12, 9; 22, 32; 22, 41-43; 23, 46.

Sin duda que la oración es una de las actividades importantes y originales de la vida de Jesús. Es original por el modo de orar que El expresamente comunicó a sus discípulos: una oración sencilla, que se dirige sobre todo a que Dios cambie nuestro interior, y en la que se le llama con el nombre de Papá. Otra característica importante es la unión oración-vida apostólica. No es una oración que divide la vida en dos partes distintas, oración-actuación, sino que busca sentido y fuerzas para la vida: "Oren para no caer en tentación". "Que se haga tu voluntad..."

La Muerte de Jesús

El Desafío de Morir

La muerte es una de las realidades de la existencia humana de la que nadie duda, pero es también uno de los hechos más incomprensibles. Ante la muerte del otro, se siente inseguridad, amenaza, incertidumbre... pero cuando la persona se enfrenta a ella conscientemente, se define a sí misma y desde ella define el sentido de la vida.

Jesús tuvo que enfrentarse conscientemente a la muerte, y por eso su muerte también define su vida. Aquella vida que era compromiso y fidelidad, es desafiada ahora por la muerte.

Porque era humano, no quería morir; porque era fiel y comprometido, tuvo que aceptar la muerte. En el Huerto de los Olivos sintió miedo y soledad; oró y sudó sangre; luchó y aceptó la voluntad del Padre. Sí, fue una noche de tentación, soledad, lucha, oración, agonía anticipada, fidelidad a sí mismo y al Padre... noche en la que el huerto se convirtió en "desierto" que había que cruzar y definir, al final desde la cruz, la identidad de la verdadera liberación.

Una Sentencia Política Contra un Revolucionario Religioso

Jesús, fue sentenciado a muerte por los romanos. La razón legal de su sentencia fue política, como lo muestra el letrero de la cruz y el tipo de muerte.

La muerte en cruz en la legislación romana estaba reservada para los esclavos cuando cometían delitos comunes graves, pero en las colonias, como en este caso Palestina, con frecuencia la extendían a los acusados de delitos políticos contra los romanos. Así se interpretó el caso de Jesús, y por eso se le puso el título en la cruz "Jesús de Nazaret, Rey de los judíos." El poner escrita la causa de la muerte en la cruz era una costumbre romana que se cumplía normalmente con mucho rigor, y por tanto también se hizo con Jesús.

Pero de hecho, a quienes interesaba la muerte de Jesús no era a los romanos, sino a los jefes de la Religión. Jesús era un hombre comprometido, y no era para ellos puramente un enemigo, sino una *amenaza radical*. Su predicación hizo sentirse a aquel mundo viejo, amenazado desde sus cimientos. Jesús había creado una crisis radical en la sociedad y en la religión. El "orden establecido" de la ley, las costumbres y las tradiciones es sacudido desde sus raíces por el "nuevo orden" propuesto por El. Ante la institución sagrada que culmina en el sábado, y la persona humana, Jesús se define por la persona: "No se hizo el hombre para el sábado, sino el sábado para el hombre." A Dios ya no hay que ir adorarle a algún sitio concreto, pero hay que adorarle en espíritu y en verdad; el cumplimiento externo de la ley, la pureza, se convierte en impureza cuando falta la actitud interior de humildad y amor; y en cambio la impureza puede convertirse en pureza con el arrepentimiento. Lo había dicho de muchos modos, pero quizás el más gráfico lo tenemos en la parábola de "la oración del fariseo y del publicano."

El pobre, el pecador, el leproso, —los marginados y desheredados— son los primeros ciudadanos del nuevo Reino que proclamaba. Los sacerdotes, los fariseos, los puros... se quedarían a la puerta y no entrarían: "Les aseguro que no les conozco."

El Crucificado

Jesús en la cruz, con los brazos extendidos, es el nuevo Moisés, Profeta de la liberación definitiva. Su liberación no es del poder de los romanos, sino del poder de los "faraones de siempre", del poder del pecado. Pero es necesario que cruce su "desierto" entre traiciones, abandono, injusticias, tentaciones, sed y, sobre todo, la aridez de la soledad en la entrega de su existencia.

Se queja desde la cruz: "Padre, ¿por qué me has abandonado?" expresando su incomprensión ante el plan liberador de Dios; permanece fiel y acepta su misión: "Padre en tus manos encomiendo mi espíritu".

¿Y la tierra prometida? Sus ojos lo que ven es sangre, verdugos y agonía. Pero es necesario perderlo todo para llegar. Ahora está andando los últimos pasos.

La Muerte

Su último suspiro de hombre es también el aliento de Dios sobre una *nueva Creación*.

> "Despreciado y tenido como la basura de los hombres, hombre de dolores y familiarizado con el sufrimiento, semejante a aquellos a los que se les vuelve la cara, estaba despreciado y no hemos hecho caso de él.
>
> Sin embargo, eran nuestras dolencias las que él llevaba, eran nuestros dolores los que le pesaban y nosotros lo creíamos azotado por Dios, castigado y humillado."
>
> Is. 53, 3-4

El Sepulcro Vacío

Jesús murió. Su Madre y unas cuantas personas amigas, recogen su cadáver para enterrarlo. No había tenido una casa para nacer; ahora su Madre tampoco cuenta con un lugar para sepultarlo; pero un buen hombre le ofrece una sepultura nueva. Y allí dejan el cadáver de aquel hombre que "había vivido para los demás", haciendo el bien; el que había defendido la causa de los pobres y pecadores, fue considerado simplemente como un desgraciado, visionario, rebelde y blasfemo.

Cuando la presencia de Dios se hizo muerte y fracaso, ¿quién podía seguir esperando en su liberación?

Unos días más tarde, unas mujeres van al sepulcro:

"¿Quién nos removerá la piedra?" se preguntaban; pero la piedra estaba quitada y el sepulcro, vacío:

"Han sacado al Señor de la tumba y no sabemos dónde lo han puesto."

Jn. 20, 2

La primera impresión no fue de resurrección; fue de desconcierto, robo y de nueva pérdida. Sólo cuando Jesús se aparece, salta el grito de "EL SEÑOR HA RESUCITADO". El dolor y la nostalgia se transforman en asombro, alegría y esperanza. La muerte no fue el FINAL sino el PRINCIPIO de liberación: desde entonces "el hombre ya no es un ser para la muerte", sino para resucitar.

Conflicto Entre Esperanza y Liberación

Al meditar la vida de Jesús de Nazaret podemos fijarnos en muchos aspectos y acentuar unos más que otros. Todos son importantes, y el acento sobre unos, no es más que un modo de reflejar nuestra propia comprensión, siempre limitada, de su vida.

Los hebreos esperaban a un liberador. Para ellos el modelo estaba muy claro: Moisés. La situación de opresión era parecida: antes eran los egipcios; ahora los romanos.

Jesús se niega una y otra vez a liberarles del poder de los romanos y defrauda. Sí; muchos aceptaron sus milagros, pero no pudieron comprender su mensaje de liberación. No lo comprendían sus parientes, ni los discípulos, ni los fariseos, ni los sacerdotes, ni tampoco el pueblo. *Por eso es radicalmente rechazado.* S. Juan nos lo expresa así al comienzo de su Evangelio:

"Vino a su propia casa, y los suyos no le recibieron."

Jn. 1, 11

Esta frase refleja una situación trágica. Aquel pueblo que

durante tantos años había estado esperando a Dios, para su definitiva liberación, lo tuvo con ellos, pero no le reconocieron y lo crucificaron. En vez de reconocerle como liberador, le identificaron como peligroso y blasfemo porque esperaban una liberación política, temporal, mundana... Jesús fue, y es un desafío a la esperanza y un reto a un modo nuevo de liberación. Buscar otra liberación, significa quedar sin esperanza.

Reflexión y Oración:

27. Los Pobres no Encuentran Sitios

> *"Cuando estaban en Belén, le llegó el día en que debía nacer su hijo. Y dio a luz a su primogénito, lo envolvió en pañales y lo acostó en un pesebre, porque no había hallado lugar en la posada".*
>
> Lc. 2, 6-7

Son muchos los emigrantes que vienen a este país buscando un sitio, un trabajo... un modo más decente de vivir. Pero qué difícil es encontrar sitio, abrirse camino...

María y José viajaban a Belén; ella está encinta, faltaba muy poco para que diera a luz. Comenzaba a sentirse mal. Llaman a muchas puertas, pero una vez más se cumple la dura realidad: los pobres no encuentran sitio.

Jesús va a nacer, se va a celebrar la primera Navidad... no hay regalos, hay abandono; la sorpresa es tragedia... la llamada a las puertas arroja soledad.

Después de 2,000 años, quizás sean los pobres los que mejor puedan entender la histórica Navidad. Porque ellos saben por su experiencia lo que es vivir sin dinero y sin poder.

Hoy, nosotros recordamos la Navidad, sí, pero hemos tenido que olvidar muchos detalles de esta primera e ignorar la realidad de tantas Navidades —tantos nacimientos— de pobres que tampoco encuentran puertas abiertas en nuestra sociedad. Por eso, esta noche si llamaran a nuestra puerta María y José, serían despedidos por muchos; los pobres estorban, incluso en la noche que recordamos que Dios quiso hacerse pobre.

Señor, que los cristianos recuperemos el sentido que *Tú le has querido dar a la Navidad*. Que no olvidemos que si te has hecho pobre no fue por sentimentalismo, sino porque realmente has elegido la muchedumbre de los marginados para hacerte persona humana. Y que a esa muchedumbre tantas veces humillada, despreciada, oprimida, en aquella noche, Tú la has dignificado hasta hacerte de verdad, Tú, pobre.

Que la Navidad sea para todos una llamada a la solidaridad de los corazones y que sea también horizonte de esperanza a tantas "Marías y Josés", que, como tus padres, no encuentran sitio.

28. Las Luces Ocultan la Estrella

Mt. 2, 1-2

¡Cuánta iluminación tienen nuestras ciudades en la Navidad!, ¡cuántos árboles con adornos y estrellas! Pero, ¿qué iluminan? ¿qué nos muestran? Todos lo sabemos: las más de las veces corporaciones, vitrinas llenas de los más variados y apetecibles objetos . . . son estrellas que nos llevan al consumo y muchas veces al despilfarro:

Pero seamos honestos; no, eso no es la *estrella de Navidad*. Y tampoco los regalos, son regalos de Navidad.

"Este regalo es sólo un detalle, una sorpresa . . ." "¡qué bonito!" —aunque no me guste— y yo tengo que presentar el mío. Todo esto también tuvo su historia y su camino; hemos tenido que cansarnos recorriendo comercios y almacenes, pensando "qué le regalaré", —a veces de malhumor—, pero había que hacer el "regalo de navidad" . . . Días grandes para los comercios.

Los regalos, las felicitaciones, las celebraciones familiares . . . esas cosas no están mal, si se hacen con cordura; muchas veces son un camino para encontrarnos y comunicarnos, para restablecer relaciones de amistad, a veces gastadas por la rutina. Pero, por favor, no olvidemos el verdadero regalo de Navidad, el que Dios nos hace, aquel que los ángeles anunciaran a los pastores y aquel trás el cual venían caminando los Reyes Magos; el regalo al que nos lleva la estrella: el regalo de un Dios, hecho hombre y pobre para liberarnos y dar sentido a nuestras vidas.

Señor, ante todo, gracias por ese regalo que no es algo, no es un objeto, eres Tú mismo. Perdona nuestros despilfarros y el paganismo de nuestras Navidades.

Señor, que las luces de las calles no nos impidan ver tu estrella.

29. Herodes Dejó Sucesores

Entre tanto Herodes, al ver que los Magos lo habían engañado, se enojó muchísimo y mandó matar a todos los niños menores de dos años que había en Belén y sus alrededores, de acuerdo con los datos que le habían proporcionado los Magos. Entonces se vio realizado lo que anunció el Profeta Jeremías: En Ramá se oyeron gritos, grandes sollozos y lamentos. Es Raquel que no quiere consolarse porque llora a sus hijos muertos.

Mt. 2, 16-18

Jesús, María y José vivían pobres, no hacían daño a nadie; pero Herodes temió, vio en el Niño una amenaza a su ambición de poder. Como no sabía quién era ese niño, mandó matar a todos. Puso lo que para él era *"seguridad nacional"* por encima de la vida de los inocentes.

Sangre, llanto y muerte cubrieron de luto aquel pueblecito. Sí, una vez más la seguridad personal y la conservación del poder, fueron más importantes que la justicia y la misma vida.

Cuando hoy recordamos aquella estampa nos horrorizamos. Pero no olvidemos que Herodes dejó sucesores, en todas las épocas y en todas las sociedades. Los métodos de los "nuevos Herodes" son muy diversos. Pero los resultados son iguales: el sacrificio de vidas humanas.

Hoy tenemos dictadores que torturan y explotan; ejecutivos, empresas que van al incremento de la ganancia, aunque esto suponga injusticia, pobreza, hambre, miseria, muerte . . .

También nuestra sociedad ofrece un panorama horrorizante por razones de seguridad nacional, de rentabilidad económica... al final porque no importan los sacrificios humanos de los inocentes.

María y José tuvieron que emigrar a Egipto para salvar la vida del Niño.

Hoy muchos de nosotros, los hispanos, también hemos tenido que emigrar... y muchas veces, como la Sagrada Familia, para salvar la vida de nuestros hijos del hambre y la miseria.

Todos sabemos que nuestros países de origen no siempre son pobres, pero hay en todas partes muchos Herodes con el nombre de político, militar o empresario, a los que no les importa la vida de los inocentes.

Señor, cuando lleguen los sucesores de Herodes a tu juicio les dirás: tuve hambre... Y no me diste de comer...
¿O guardarás silencio?

30. No soy un Número

Jesús caminaba por la orilla del lago de Galilea. Ahí estaban Simón y su hermano Andrés, echando sus redes en el mar, porque eran pescadores. Jesús los vio y les dijos "Síganme, que yo los haré pescadores de hombres."

Mc. 1, 16-17

Todos apreciamos que se acuerden de nosotros y nos llamen. Un día nos invitan a celebrar un cumpleaños y un bautizo . . . o quizás es el jefe en nuestro trabajo, el que nos llama para decirnos que está contento con nuestro rendimiento y nos propone otro puesto . . . En este caso no será el dinero lo que más se aprecia; nos sentimos mejor, porque se han acordado de nosotros; nos han tratado como personas.

Hace dos mil años, Jesús pasaba al lado de unos pescadores: "Síganme"; les dijo, y les cambió de trabajo: "desde ahora les haré pescadores de hombres".

Tuvo que ser un día grande para aquellos pescadores . . . ¡ser llamados por Jesús! Jesús sigue llamando a nuestras conciencias, a unos les llama a seguirle en el sacerdocio, o en la vida religiosa o como padre, o madre de familia . . . a todos nos llama a seguirle, a todos nos llama a ser cristianos; personas comprometidas con los hermanos, personas honestas, sinceras . . . personas que hagan del amor, el ideal de su vida.

Tú en la Iglesia de Jesús *no eres un número más,* un ser anónimo. Quizás no te conoce el Obispo o el Párroco, pero Jesús sí te conoce y cada día te llama por tu nombre a que le sigas como lo hiciera con Pedro, Juan y otros muchos.

Señor, hoy te doy gracias por fijarte en mí. La verdad es

que quizás no me había dado cuenta, he estado viviendo el cristianismo rutinariamente, con pasividad, creía que era cosa propia de los curas y las monjas.

Ahora cuando pienso en Pedro, Juan, María Magdalena... eran personas normales, a veces pecadores como yo, entiendo mejor tu llamada y tu Evangelio.

Ellos te siguieron cada uno por su camino; no todos fueron papas como Pedro, o escritores como Juan o simplemente una mujer convertida y que encuentra el sepulcro vacío, como María Magdalena.

Señor, y a mí ¿Qué me pides? ¿Cuál es mi camino?

Haz, Señor, que sienta y responda a tu llamada.

31. ¿No es Este el Hijo del Carpintero?

El Espíritu del Señor Yahveh está sobre mí, Yahveh me ha elegido. Me ha enviado para anunciar buenas noticias a los humildes, para sanar a los corazones heridos, para anunciar a los desterrados su liberación, y a los presos su vuelta a la luz. Para publicar un año feliz lleno de los favores de Yahveh, y el día del desquite de nuestro Dios.

Is. 61, 1-2

Jesús era un hombre del pueblo, era pobre, no tenía títulos especiales, era hijo de un carpintero. Así vivió treinta años. Después, cuando le llegó el momento, se fue a predicar la Buena Noticia del Padre.

Un día regresó a su pueblo, predicó. Al principio se admiraban y decían entre sí: "¿No es este el hijo del carpintero?" . . . Pero más tarde, no le hicieron caso y le despreciaban; hasta quisieron despeñarle. ¿Habrían hecho esto con un sacerdote o fariseo de su tiempo? Posiblemente no, pero, ¿por qué no hacerlo con el hijo de un carpintero?

Jesús, eso que te pasó a Tí, sigue pasando hoy de muchas maneras a otros hermanos tuyos. Sí, Señor, existe mucha gente que sólo juzga y valora por lo que se tiene, por los títulos, por la lengua, por la raza . . . Aquí en este país existen muchos hispanos honrados, trabajadores, personas que buscan la paz, que Tú conoces porque te rezan cada día . . . sin embargo son personas a las que muchos niegan sus derechos en los hospitales, en las ventanillas y en las colas . . . simplemente porque son hispanos. Simplemente, Señor, porque también hoy existen muchas personas clasis-

tas y racistas, que no aprecian a los otros por lo que son, por su honradez, sino por su dinero, sus títulos o su raza.

Señor, hoy te pido por todos los hispanos que han sido despreciados, como lo fuiste Tú en tu pueblo, sólo por ser hijo de un carpintero.

32. Señor, no Tengo a Nadie

"Lo mismo, el que dé un vaso de agua fresca a uno de los míos, porque es discípulo mío, yo les aseguro que no quedará sin recompensa."

Con frecuencia me encuentro con muy buenas personas hispanas, sobre todo, señoras mayores, que me dicen, "Padre, yo en este país no sé caminar. Vine con mis hijos, pero ahora estoy sola, no tengo a nadie."

El Evangelio nos dice que había un hombre paralítico que llevaba 38 años esperando que alguien le ayudase a meterse en la piscina de Betsaida para ser curado.

Jesús pasó por allí, le vio y le dijo: "¿Quieres sanar?" El paralítico contestó: "SEÑOR, NO TENGO A NADIE QUE ME AYUDE". Jesús le sanó.

¡Qué soledad tuvo que vivir este pobre hombre durante 38 años!

Sin duda que muchos pasaron a su lado. ¿Molestarse? No valía la pena hacerlo por un pobre paralítico. No era problema de ellos.

Jesús en cambio, se paró, habló con él y le sanó. Para Jesús no era un pobre paralítico. Era un invitado especial para participar en el Reino de Dios.

Señor, hoy quisiera pedirte por tantos hombres y mujeres hispanos que desde ste país también te dicen: NO TENGO A NADIE.

Los que no tienen a nadie para que les ayude a rellenar los papeles en inglés.

Los que no tienen a nadie que les defienda ante las injusticias en el trabajo.

105

Los que no tienen a nadie que les visite en su vejez o en su enfermedad.

Los que no tienen a nadie con quien comunicarse y hablar.

Los ancianos que no tienen a nadie, porque quizás sus hijos sólo les visitan de tarde en tarde.

Niños que no tienen a nadie que les quiera y les eduque.

Jóvenes que no tienen trabajo, ni esperanza.

Señor, son muchos los hispanos que pueden decirte la misma frase que te dijera el paralítico de la piscina de Betsaida . . .

Pero te pido también por todos aquellos que nos llamamos cristianos y que sin embargo vivimos sin pensar en los demás.

Jesús perdona nuestro pecado de egoísmo y nuestra falta de amor.

A todas aquellas personas buenas que te imitan a Ti, ayudando a los demás, dales ahora alegría y esperanza y mañana premia su trabajo con la paz de vivir junto a Ti.

33. ¿Dónde Están los Otros Nueve?

Lc. 17, 11-19

Iba Jesús por el camino. Se le acercaron diez leprosos y oraron: JESUS, MAESTRO, TEN COMPASION DE NOSOTROS. Jesús les mandó ir a presentarse a los sacerdotes y por el camino los diez quedaron sanados. Uno se volvió inmediatamente a darle las gracias, pero los otros nueve se olvidaron de Jesús. Jesús preguntó al hombre agradecido "¿DONDE ESTAN LOS OTROS NUEVE?"

Muchos de nosotros oramos, también le pedimos a Jesús que nos libre de nuestras lepras, de nuestra pobreza, enfermedades, que nos ayude a encontrar un trabajo, a solucionar los problemas de nuestra familia... pero ¿cuántas veces hemos ido inmediatamente a darle las gracias? Muchas, muchas veces tiene que repetir Jesús la misma frase: "¿DONDE ESTAN LOS OTROS NUEVE?"

Señor, ante todo, te pedimos perdón por nuestras faltas de gratitud. ¡Cuántas veces nuestras oraciones son egoístas! Te pedimos que nos ayudes y después no te damos las gracias.

Ayúdanos también a saber reconocer las muchas cosas que nos has dado: la vida, la libertad, personas amigas, el amor de mi familia... Tantas cosas, Señor, que constantemente estamos recibiendo de Ti sin darnos cuenta.

Jesús, yo me quejo muchas veces de los demás cuando no son agradecidos conmigo: que comprenda que todos debemos agradecerte a Ti todo lo bueno que tenemos, pues todo lo bueno viene de tus manos. GRACIAS SEÑOR.

34. Yo Tampoco te Condeno, pero no Peques más

JN. 8, 1-11

Con frecuencia nos gusta criticar. Hay personas que disfrutan, aprovechan cualquier ocasión, incluso la salida de la Misa, para comentar la vida de los demás, sin pensar en sus propios pecados: "¿sabes lo de fulanita?, ¿te has enterado..?"

Un día le presentaron a Jesús una mujer adúltera. Los fariseos también disfrutaban morbosamente. La habían "cazado" y ahora no sólo la criticaban, la utilizaban, sin importarles que era una persona, para poner a Jesús en un aprieto. Estaban contentos... pero Jesús conocía sus vidas: "EL QUE DE USTEDES ESTE SIN PECADO, QUE TIRE LA PRIMERA PIEDRA", que la condene. En pocos minutos se quedaron solos: la pecadora y Jesús.

Señor, hoy te pedimos por tantas mujeres y hombres marcados por nuestras críticas, a los que rechazamos y condenamos.

Por tantas muchachas y muchachos a los que quizás no hemos ayudado con nuestro ejemplo, a los que muchas veces cerramos las puertas del futuro. Y más tarde nos atrevemos a condenarlos, cuando los vemos enfangados en el vicio.

Cuántas piedras tiramos cada día contra los demás, sin mirar que quizás nuestro corazón no está limpio.

Jesús mira hoy a tantos que buscan la felicidad en los placeres en la droga o en el alcohol. Libérales de esa esclavitud como lo hicieras con esa mujer pecadora.

A todos enséñanos a imitarte a Tí: condenar el pecado, pero no a la persona.

Jesús, que todos un día podamos escuchar que nos dices: "YO TAMPOCO TE CONDENO".

35. Paremos el Tiempo

Mт. 17, 1-13

Cuando hemos tenido la sensación de ser felices, hubiéramos deseado que el tiempo se parara, que todo siguiera igual, sin ningún cambio. Pero el tiempo siguió caminando y aquellos momentos de realidad, se convirtieron sólo en recuerdo.

Esto mismo fue lo que le sucedió a Pedro al vivir la realidad de Jesús transfigurado:

"Señor, ¡qué bien estamos aquí! Hagamos tres chozas".

Pero Pedro tampoco pudo parar el tiempo. Una nube pasó y pronto aquella realidad maravillosa desapareció, para dejar paso a la vida normal de una conversación en la que Jesús, entre otras cosas, le habla de "padecer".

No, no es posible establecerse felices en la tierra. Y sin embargo, esta es una de nuestras mayores tentaciones.

¡Cuántos hombres y mujeres almacenando dinero, como si fueran a vivir aquí toda la vida! ¡Cuántos valores sacrificamos, a veces, dominados por el espejismo de que podremos ser aquí definitivamente felices!

Pedro estaba equivocado en su proposición de quedarse allí, como lo estamos nosotros cuando vivimos y nos comportamos, como si esta fuera nuestra vida definitiva.

Jesús, Tú sabes que todos buscamos afanosamente la felicidad. Ayúdanos a comprender que nada de esta tierra nos podrá dar la felicidad total. Que comprendamos que nuestros momentos de felicidad aquí no son más que reflejos y sombras de la dicha que nos tienes preparada.

Señor, que comprendamos que no podemos parar el tiempo, que la vida es camino que podemos andar engañados, cuando ponemos la esperanza en las cosas, o acertados cuando vivimos conscientes de que Tú eres el único que pararás nuestro tiempo, para hacer en nosotros, aquellos momentos felices, una eternidad.

36. Señor, ¿A Dónde Vamos a ir?

Jn. 6, 60-71

La doctrina de Jesús era dura, exigente, muchas personas que le escuchaban después no le seguían. Un día cuando predicaba se fueron marchando todos. Sólo quedaron los discípulos y Jesús, triste pero con valentía, les preguntó: "¿TAMBIEN USTEDES QUIEREN DEJARME?" Pedro le dijo: "SEÑOR, ¿A DONDE VAMOS A IR...?"

Hispanos, sus antepasados han seguido a este Jesús exigente. Han pecado, han orado, han sufrido... pero no le abandonaron y ahora están viviendo con El.

Nosotros hoy al encontrarnos en un mundo que nos ofrece tantas libertades y placeres, que nos llama a poseer, a conseguir, a vengarse, a mentir, a hacer del dinero y del placer un dios, corremos el peligro de abandonar la religión católica que profesaron nuestros padres. Y ustedes, saben que muchos son los que ya la han dejado. A sus hijos quizás podrán dejarles dinero, pero ya no le van a dejar a Dios.

Señor, sí, son muchos los que ya te han abandonado, te han cambiado por la droga, por el dinero, por el abuso del sexo... al final, se encuentran muchas veces con la miseria de su propia destrucción.

Jesús, danos cordura y reflexión como a Pedro y que sepamos también nosotros decirte: Sin Ti, Señor, ¿a dónde vamos a ir?...

Ayuda también a tantas buenas personas que no te han abandonado a pesar de las dificultades. Son también muchos los hispanos e hispanas que siguen orando, visitando a los enfermos, haciendo el bien, ofreciendo a sus hijos el ejemplo de personas realmente cristianas, ofreciendo lo mejor que pueden ofrecer: LA FE EN TI.

37. Lázaro no fue Entrevistado

Jn. 11, 1-50

Más de una vez nos hemos sentido curiosos y preocupados por saber cómo es la otra vida.

Lázaro, un amigo de Jesús, estuvo allá unos días, pero los Evangelistas no le entrevistaron. Lázaro no nos ha dicho nada.

A veces pienso qué pasaría hoy si se nos anunciara que a tal hora van a hacer una entrevista por la televisión a un hombre que murió, estuvo tres días en el sepulcro y ahora vive. ¿Se perdería usted el programa?

No, Lázaro no habló nada, que sepamos. Pero sí sabemos que habló Jesús, el que le resucitó. El pueblo sabía que había sido El, los fariseos y sacerdotes también lo sabían. Sin embargo, no sólo no entrevistaron a Jesús, sino que decidieron matarle para que no siguiera hablando.

No les parece una reacción extraña, ¿matar al hombre que resucita y habla de la otra vida?

Pues no, porque Jesús también hablaba de esta vida y esto molestaba a muchos y por eso decidieron callarle.

Jesús decía que era peligroso ser rico, que había que perdonar y amar a los enemigos, que los hipócritas eran sepulcros blanqueados.

Jesús, ellos quisieran callarte con la muerte. Hoy muchas veces nosotros intentamos callarte con el olvido. Dejamos de ir a la Iglesia para no oírte nombrar o dejamos de orar o pasamos por alto las palabras tuyas que nos molestan o simplemente queremos interpretarlas a nuestra conveniencia.

Señor, danos sinceridad para escucharte, para aceptar todas tus palabras aunque nos sean incómodas; y danos, sobre todo, fuerzas para llevarlas a la vida.

38. Por qué Defraudó Jesús

"Cuando el Gobernador volvió a preguntarles: '¿Cuál de los dos quieren que les deje libre?', ellos contestaron: 'A Barrabás'. Pilato les dijo: '¿Y qué hago con Jesús, llamado Cristo?' Todos contestaron: '¡Qué sea crucificado!'"

Mt. 27, 21-22

Durante la temporada de elecciones escuchamos constantemente noticias de la campaña, juicios sobre si tal o cual discurso de uno de los candidatos, fue acertado, si dijo o prometió lo que el electorado esperaba, etc.

Hace dos mil años, los judíos esperaban que Jesús fuera un político, el enviado de Dios para librarles del poder de los romanos y ayudarles en tantas y tantas opresiones de la vida.

Pero Jesús defraudó. Jesús no prometió lo que el pueblo deseaba y esperaba.

Un día les dijo: "Quien no carga con su cruz y se viene detrás de mí, no puede ser mi discípulo."

Ellos esperaban un Jesús que les librara de las calamidades, que hay que vivir en la existencia humana, Jesús les habla de cruz.

Y nosotros, tú, ¿Qué esperas de Jesús? Muchas veces cuando los problemas y el dolor tocan en nuestras vidas decimos, "no hay derecho que Dios haga esto conmigo, yo rezo y Dios no me escucha..." tantas cosas que se nos ocurren.

¿Se te ha ocurrido pensar en estas palabras de Jesús? ¿Qué tú y yo, si queremos seguirle tenemos que tomar nuestra cruz?

Si no comprendemos esto, tarde o temprano, Jesús nos

defraudará como defraudó hace dos mil años al pueblo judío.

Señor, ayúdanos; es fácil escuchar en los sermones hablar de la cruz, es fácil conmoverse en una procesión el día de Viernes Santo e incluso llorar, por lo mucho que has tenido que padecer; pero qué difícil es comprender hasta el final tus palabras; comprender que al lado del cristiano, a mi lado, siempre tiene que existir una cruz, pero difícil vivir la angustia que me produce el tomar yo la mía.

Haznos comprender, Señor, también, que la cruz no es inútil, que ella nos lleva, como te condujo a Ti, a la felicidad, al triunfo, a la total liberación . . . a ese horizonte de esperanza que llamamos Resurrección.

39. La Primera Misa

*Así pues, cada vez que comen de
este pan y beben de la copa, están
anunciando la muerte del Señor
hasta que venga.*

1 Cor. 11, 26

Era el primer "Jueves Santo". El ambiente era para
Jesús de despedida; para los apóstoles de desconcierto. Estaban cenando. Jesús toma el pan y el vino; dice unas
palabras; se lo entrega; era la Primera Misa.

"Esta copa es la Alianza Nueva sellada con mi sangre,
que va a ser derramada por ustedes". (Lc. 22, 20).

Son muchos los aspectos que podríamos considerar sobre
la Misa, pero fijémonos hoy en uno: ALIANZA.

Alianza es un pacto, un acuerdo al que se llega y que
por tanto exige deberes y responsabilidades por ambas
partes. En este caso es Jesús que se entrega por amor, a la
muerte y nosotros.

Cada día o cada domingo asistimos millones de cristianos a la Misa. A veces se oye decir: "Ya he cumplido con
la Misa".

No, amigos, con esa Alianza no se cumple simplemente
asistiendo el Domingo a la Iglesia. Es necesario llevar a la
vida ese pacto que también nosotros tenemos que sellar
como Jesús: con el amor.

Mientras haya esclavitudes, discriminaciones, opresiones,
hambre, violencia . . . a nuestro alrededor, ¿podemos nosotros decir "Ya he cumplido con la Misa"?

*Jesús, ayúdanos para que tomemos en serio nuestras res-
ponsabilidades en esa Alianza de amor que has querido
hacer con nosotros.*

Que comprendamos que no podemos participar en esa

Alianza cuando nosotros somos opresores e injustos, cuando al prójimo no lo tenemos como hermano, sino como desconocido.

Que comprendamos que nuestras Misas son una prolongación de aquella "Primera Misa" de tu Jueves Santo.

40. Padre, No Quiero Morir

Mc. 14, 32-42

Asistía por la noche a una enferma moribunda. Ya era la cuarta noche de agonía. Los doctores se admiraban de cómo podía resistir tanto. El cáncer había invadido todo su cuerpo, pero su corazón seguía latiendo con fuerza.

Hacia las tres de la mañana comenzaba la lucha con la muerte; me apretaba fuertemente mi mano con la suya cubierta de sudor frío. De cuando en cuando sus ojos, llenos de lucha y dolor, me miraban y me decían que no quería morir. Entonces su mano me apretaba más y más, aferrándose a este poco de tierra que era la mía.

Pensé mucho aquellas noches, en la oración del huerto de Jesús. El tampoco quería morir, también se agarraba a la tierra y también El sudaba y también decía que no quería morir:

"Abba, o sea, Padre, para tí todo es posible; aparta de mi esta copa. Pero no, no se haga lo que yo quiero, sino lo que quieras Tú."

Mc. 14, 36

Sí, también a Jesús le costaba morir, porque era hombre. También El sentía tristeza y miedo hasta sudar sangre, pero aceptó la voluntad del Padre.

Señor, sabemos que hoy en todas las esquinas del mundo existen muchos hombres y mujeres luchando como Tú ante la muerte. Unos en hospitales, otros en casa o en la calle; unos acompañados, otros solos... Jesús, dales fortaleza para que como Tú acepten al final la voluntad del Padre.

Un día, no sé cuándo ni dónde, también yo tendré que luchar con la muerte, en esos momentos, ayúdame a enfrentarme a ese futuro, lleno de confianza y fe en Dios.

41. Cuando se Hace Duro Llamar a Dios "Padre"

"Como perros de presa me rodean, me acomete una banda de malvados. Mis manos y pies han traspasado. Y contaron mis huesos uno a uno. Esta gente me marca y me vigila. Reparten entre sí mis vestiduras y mi túnica se juegan a los dados. Más tú, Señor, de mí no te separes, auxilio mío, corre a socorrerme."

SALMO 22, 17-20

A veces el dolor llega a nuestra vida con el nombre de enfermedad, hambre, desempleo, muerte, fracaso, soledad . . . Y qué difícil se nos hace ver que *entonces también está Dios con nosotros.*

Son muchas las tentaciones de abandonarle y por eso, muchos en estas situaciones, dejan a Dios.

Jesús en la Cruz se sentía así; estaba casi sin fuerzas y gritó: "PADRE, ¿POR QUE ME HAS ABANDONADO?"

Sin embargo, Jesús no desesperaba y por eso en esta breve oración sigue llamando a Dios con el nombre de "PADRE".

¿Había abandonado Dios a Jesús? Evidentemente que no; pero era necesario que nos mostrara en su propio Hijo, *el duro camino de la liberación.*

¿Nos abandona a nosotros, cuando nos sentimos atenazados por el dolor?

Tampoco a nosotros nos abandona, pero nos trata, ni más ni menos como tratara a su Hijo . . . nos ofrece la liberación por la Cruz. Por eso nosotros, como Jesús, en estos momentos, más que nunca, debiéramos seguir llamando a Dios, "PADRE".

Jesús, hoy te pedimos por tantas personas —hombres, mujeres y también niños— que sufren en este mundo: hambre, injusticias, desprecios ... Te pedimos por las personas enfermas; por todos aquellos que sentimos la noche fría de la soledad.

Comprende nuestro sufrimiento y también, a veces, nuestra falta de esperanza.

Danos fortaleza para que al final seamos fieles como TU y siempre sigamos llamando a Dios por su nombre: "PADRE".

42. Caminantes sin Esperanzas

Lc. 24, 13-35

Muchas veces las cosas nos salen mal en la vida . . . luchamos, rezamos . . . pero los problemas siguen . . . y ¿al final? . . . a veces uno se pregunta por qué vive . . . Dan ganas de tirar con todo, especialmente con la religión, y vivir como sea, divertirse, seguir otro camino.

Cuando Jesús murió, causó una gran decepción en mucha gente, pero especialmente en sus discípulos. Ellos esperaban, pero surgieron los problemas y ahora Jesús estaba muerto.

Dos discípulos marchaban de Jerusalén a Emaús, un pueblecito más tranquilo. Quizás, decepcionados, habían decidido cambiar de camino.

Caminaban tristes y preocupados. Un desconocido se encuentra con ellos. Parecía buena persona; comienzan a conversar y por supuesto le contaron su problema: estaban decepcionados. "Nosotros esperábamos que El sería el libertador de Israel —le decían— pero ha muerto . . ."

¡Qué contraste! Le decían que estaba muerto y sin embargo Jesús caminaba con ellos y ellos no le reconocían.

Sin duda que estos dos caminantes eran buenas personas, pero no habían entendido lo de morir y morir en la cruz, por eso ahora ya no tenían esperanzas y "caminaban para atrás". No, no tenían mala voluntad, pero les faltaba la esperanza y reconocer que Jesús caminaba a su lado, "disfrazado de desconocido". Al fin, por la noche, le reconocieron y su vida cambió completamente. Volvieron de nuevo, llenos de alegría y esperanza: "¡EL SEÑOR HA RESUCITADO!"

Señor, somos muchos los que ante la cruz también caminamos "para atrás" hacia cualquier lugar más tranquilo. También a nosotros muchas veces nos falta la esperanza. La vida se nos hace dura y vamos poco a poco andando otro camino. Sin duda que Tú también nos sigues como a aquellos dos discípulos.

Hoy te pedimos que nos ayudes a comprender el sentido de la cruz y del dolor. Que también nosotros en algún momento te reconozcamos; que Tú cambies nuestra vida; que nosotros cambiemos de camino ... y que gritemos con alegría: "EL SEÑOR HA RESUCITADO".

43. Te Esperamos Orando

Hc. 1, 3-14

Suele decirse que "las despedidas son tristes" y por eso, a veces, comentamos para consolarnos: "No digo adiós, sino hasta luego". Pero en realidad, cuántos de los hispanos que viven en este país, han tenido que pasar por el momento duro y desconcertante de despedirse de sus seres queridos... en el fondo se pensaba: "¿Les volveré a ver?... ¿Qué será de mí? ¿Qué será de ellos?" Sí, a veces las despedidas, nos dejan tristes y sobre todo *vacíos*.

Jesús había muerto, y resucitó. Los discípulos estaban contentos. No vivía todo el tiempo con ellos, pero al menos les visitaba de vez en cuando.

Sin embargo, un día Jesús se despidió de ellos y subió a los Cielos. Aquellos hombres y mujeres se quedaron desconcertados, mirando y mirando al cielo, hasta que ya no le vieron, "una nube se lo ocultó".

Se sintieron solos, con ese vacío que deja la ausencia de un ser querido... el vacío y la inseguridad de la despedidas. Quizás pensaban "¿Qué va a ser de nosotros ahora?"... seguían mirando, pero sólo veían nubes...

Tuvieron una buena idea ir juntos a hacer oración y ESPERAR.

Señor, nosotros con frecuencia te buscamos; quisiéramos verte o al menos sentir que estás con nosotros, que nos visitas de vez en cuando, que nos ayudas... pero a veces pasa el tiempo y por mucho que miramos y miramos, sólo vemos problemas —nubes que te ocultan— y sentimos vacío y desconcierto.

Jesús, que nosotros en esos momentos también tengamos la feliz idea de ir con la comunidad.

Señor, que cuando, aparentemente, nos dejes solos, nosotros no te dejemos a Ti; que de verdad, TE ESPEREMOS ORANDO.

*"Jesús vino a anunciar la Buena Noticia
a todos, pero especialmente a los pobres,
a los marginados, a los pecadores . . ."*

IV

Creo en el Reinado de Dios

Jesús Anuncia y Realiza la Liberación Definitiva

Decíamos en el capítulo anterior que el centro de la predicación de Jesús, fue el anuncio del REINADO DE DIOS. Pero, ¿qué significa esta expresión? Los cristianos actuales estamos muy acostumbrados a escuchar estas palabras en la predicación de los Domingos, en los Retiros... Sin embargo, su significado quizás no nos resulta familiar, natural... ¿Sabríamos explicar con claridad a nuestros hijos, por ejemplo, este concepto?

Nos es fácil explicar lo que es un Estado, lo que es un Presidente o un Primer Ministro, pero ya cuando queremos explicar qué significa "Los Reyes de Bélgica" o los "Reyes de España", es posible que nos sea un poco más difícil. Y es que nosotros no tenemos experiencia de vivir en un "Reino" sino en un Estado o una República.

Utilizamos las palabras "Reino" y "Reinado". Las dos se refieren a lo mismo pero tienen matices un poco diferentes. Por "Reino" se entiende el territorio, las leyes, etc., así por ejemplo, cuando decimos, El Reino de Bélgica, nos referimos a la nación belga. "Reinado" tiene un significado activo; se refiere al acto de reinar. Así, cuando decimos que Cristóbal Colón descubrió América durante el reinado de los Reyes Católicos, queremos decir que lo hizo durante el tiempo en el que éstos reyes ejercían su acción de reinar y gobernar.

Los judíos del tiempo de Jesús comprendían muy bien lo que significaba "Reino", aunque muchos de ellos, después, no comprendieron el sentido de "REINADO DE DIOS".

En aquella época los pueblos poderosos eran Reinos o Imperios. Los judíos deseaban ser un pueblo poderoso y por tanto aspiraban a ser también Reino.

Después de la liberación de la esclavitud en Egipto y después del paso del desierto, habían podido, por fin, establecerse como Reino. Fueron un pueblo poderoso con riquezas y esplendor sobre todo en tiempos del Rey David y del Rey Salomón. Pero más tarde viene la decadencia y de nuevo distintas formas de debilidad y esclavitud. En este momento en el que Jesús va a anunciar el Reinado de Dios, ellos son una colonia de los romanos.

Sin embargo, Dios no les había abandonado. Por medio de los Profetas les había estado prometiendo de nuevo la liberación, estableciéndoles en un Reino.

Son muchos los textos de los Profetas que hablan de esto y ayudan a mantener en el pueblo la esperanza. Veamos, como ejemplo, un texto de Daniel:

> "Seguí contemplando la visión nocturna: En la nube del Cielo venía uno, como un hijo de hombre. Se dirigió hacia el Anciano y fue llevado a su presencia. A él se le dio poder, honor y reino; y todos los pueblos y las naciones de todos los idiomas le sirvieron. Su poder es para siempre y que nunca pasará; y su reino jamás será destruido".
>
> DAN. 7, 13-14

Y más adelante:

> "¡Paz abundante! Doy orden de que, en todos los dominios de mi Reino, se tema y se respete al Dios de Daniel, porque él es el Dios vivo que existe eternamente, su reino no será destruido y su Imperio durará hasta el fin".
>
> DAN. 6, 27

En tiempos de Jesús, el pueblo estaba impaciente, tenía la sensación de que Dios pronto iba a venir de nuevo a liberarles, por medio de un Rey. Unos pensaban que la expulsión de los romanos de su tierra, facilitaría las cosas.

Así pensaban los "Zelotes" y formaron un grupo fanático-nacionalista, que hoy llamaríamos "terrorista" y se dedicaba a la lucha contra los romanos. Otros suponían que con una vida de recogimiento y oración acelerarían la realización de esta esperanza; así pensaba un grupo que se llamaban "Esenios" que vivía una vida muy semejante a nuestra vida religiosa de los conventos. Los Fariseos suponían que sería el cumplimiento exacto de la Ley, el mejor camino para que Dios enviara cuanto antes al Libertador.

Juan el Bautista

Un hombre aparece en el Desierto anunciando que el Reino de Dios está cerca:

> "En ese tiempo se presentó Juan Bautista en el desierto de Judea, predicando de esta forma:
> Cambien su vida y su corazón, porque está cerca el Reino de los Cielos.' De él hablaba el Profeta Isaías al decir:
> Una voz grita en el desierto: Preparen el camino del Señor, enderecen sus senderos.
> Juan vestía un manto de pelo de camello, con un cinturón de cuero, y se alimentaba con langostas y miel de abeja silvestres. Entonces iban a verlo los judíos de Jerusalén, de Judea y de toda la región del Jordán. Confesaban sus pecados y Juan los bautizaba en el río Jordán."
>
> Mt. 3, 1-6

El pueblo llega a pensar que él es realmente el nuevo Profeta, pero Juan insistía que sólo era el precursor:

> "Juan decía muy claro: 'Detrás de mí viene otro mucho más grande que yo. Me sentiría muy honrado si se me permitiera arrodillarme para desatar la correa de su calzado. Pues yo no hago más que bautizarlos con agua, pero él los bautizará en el Espíritu Santo."
>
> Mc. 1, 7-8

Todo el pueblo es conmovido por sus palabras; en ellos se avivan las ascuas de la esperanza de liberación y en toda la región se enciende como una llama que agita, ilumina, y les lleva al bautismo y a la conversión... Todos se disponen a ser ciudadanos de nuevo, de un país, un Reino fuerte, poderoso, grande, libre de esclavitudes y de opresiones.

Jesús se Presenta Anunciando el Reino

En esta situación aparece Jesús, anunciando claramente el tiempo del Reino, primero, y más tarde que El es el enviado definitivo:

> "Después que tomaron preso a Juan, Jesús fue a la Provincia de Galilea y empezó a proclamar la Buena Nueva de Dios. Hablaba en esta forma: 'El plazo está vencido, el Reino de Dios ha llegado. Tomen otro camino y crean en la Buena Nueva'".
>
> Mc. 1, 14-15

> "Entonces fue cuando Jesús empezó a predicar. Y les decía: 'Cambien su vida y su corazón, porque está cerca el Reino de los Cielos'".
>
> Mt. 4, 17

Al principio existe una cierta confusión: ¿Quién es el Mesías? ¿Será realmente Jesús o sería Juan el Bautista?

Sin embargo, Jesús se afirma con claridad como el verdadero Salvador esperado. Así debemos entender sus palabras en Nazareth:

> "Fue a Nazareth, donde se había criado y, según acostumbraba, entró el día Sábado a la sinagoga. Cuando se levantó para hacer la lectura, le pasaron el libro del Profeta Isaías; desenrolló el libro y halló el pasaje que se lee:
>
> 'El Espíritu del Señor está sobre mí, por el que me consagró. Me envió a traer la Buena Nueva a los pobres, a anunciar a los cautivos su libertad y a los ciegos que pronto van a ver. A despedir libres a los oprimidos, y a proclamar el año de la gracia del Señor.'
>
> Jesús entonces enrolla el libro, los devuelve al ayudante y se sienta. Y todos los presentes tenían los ojos fijos en él".
>
> Lc. 4, 16-20

Y termina con estas palabras, que expresan sin duda, que es El y no otro:

"Hoy se cumple esta profecía y ustedes mismos son testigos".

Lc. 4, 21

En otra ocasión son los discípulos de Juan Bautista los que se deciden a preguntarle si El era el auténtico Mesías:

"Juan se enteró en la cárcel de lo que hacía Cristo; por eso envió a sus discípulos a preguntarle: "¿Eres tú el que debe venir o tenemos que esperar a otro?"

Jesús les contestó: "Vayan y cuéntenle a Juan lo que han visto y oído: que los ciegos ven, que los cojos, andan; que los leprosos quedan sanos, que los sordos oyen, que los muertos resucitan, y que se predica la Buena Nueva a los desdichados. Feliz aquel que al encontrarme no se aleja desilusionado."

Mt. 11, 2-6

Pero el anuncio del Reino, por Jesús defraudará porque no va a llenar las aspiraciones políticas de los judíos. La expresión REINO DE LOS CIELOS (en Mateo) o REINO DE DIOS (en Lucas y Marcos), en los labios de Jesús tiene un significado que no es el que ellos esperaban y deseaban por eso Jesús en vez de "Enviado" va a ser considerado "Impostor".

Este Reino *no va a ser un territorio político* que se reduzca a los judíos; deberá ser anunciado a todos los pueblos de la Tierra. Tampoco está restringido a una raza o clase de personas, se invita a todos los hombres y mujeres de la Tierra. "Vayan por el mundo —les decía Jesús a los Apóstoles— y prediquen la Buena noticia a todos."

Será la presencia y acción de Dios que viene para reinar, es decir, para establecer un nuevo orden de cosas, de valores y de modo de entender la vida. Viene a transformar la realidad y a hacer una humanidad nueva.

Es por lo tanto un proyecto de sociedad diferente en la que Dios es Padre y los hombres y mujeres son hermanos.

Para pertenecer al Reino, Jesús pone condiciones muy claras que El explica unas veces en conversaciones, otras en parábolas.

Algunas Características del Reinado de Dios Predicado por Jesús

Veamos algunas de estas condiciones y características:

1. Lo primero que se exige es LA CONVERSION: nacer de nuevo. Así se lo explicaba una noche Jesús a un fariseo llamado Nicodemo:

> "Entre los fariseos había un personaje judío llamado Nicodemo. Este fue de noche a ver a Jesús y le dijo: Rabbi, nosotros sabemos que has venido de parte de Dios como Maestro, porque nadie puede hacer señales milagrosas como las que tú haces, a no ser que Dios esté con El.
>
> Jesús le contestó: 'En verdad te digo, nadie puede ver el Reino de Dios si no nace de nuevo, de arriba'.
>
> Nicodemo le dijo: '¿Cómo renacerá el hombre ya viejo? ¿Quién volverá al seno de su madre para nacer de nuevo?
>
> Jesús le contestó: 'En verdad te digo: El que no renace del agua y del Espíritu no puede entrar en el Reino de Dios. Lo que nace de la carne es carne, lo que nace del Espíritu es espíritu. No te extrañe que te haya dicho: Necesitan nacer de nuevo, de arriba. El viento sopla donde quiere y tú oyes su silbido; pero no sabes de dónde viene ni a dónde va. Así le sucede al que ha nacido del Espíritu."
>
> Jn. 3, 1-8

No se trata simplemente de reformar un poco la vida. Se

trata de cambiarla completamente, por eso Jesús le dice a Nicodemo que es necesario *nacer de nuevo.*

Es decir, la conversión no es sólo un cambio de modo de pensar, es además, un cambio de actitudes, de valoración de las cosas, un cambio de vida. Dicho de otro modo, la conversión no es simplemente intelectual, tiene que ser también vital, tiene que comprometer mi existencia, mi modo de vivir.

2. Se exige también una FIDELIDAD radical: "No se puede servir a dos señores"; "El que no está conmigo está contra mí". Esta fidelidad es exclusiva y hay que ponerla por encima de cualquier otro valor o estructura, la propia familia y también por encima de uno mismo:

> "Si alguno quiere venir a mí, mientras prefiere a su padre, a su madre, a su mujer, a sus hijos, a sus hermanos, *o aun a su propia persona,* no puede ser discípulo mío".
>
> Lc. 14, 26

3. Esta fidelidad tiene que llevar el total DESPRENDIMIENTO de las cosas. Es necesario poner la confianza en Dios y no en las riquezas. (Mt. 6, 24).

El puesto destacado, lo ocupan los pobres, los marginados, y los sin poder.

"Felices los que tienen espíritu de pobre, porque de ellos es el Reino de los Cielos".

Por el contrario es muy difícil ser rico y pertenecer al Reino. S. Lucas, después de las "Bienaventuranzas", nos pone "las cuatro maldiciones contra los ricos":

> "Pero, ¡pobres de ustedes, los ricos, porque ustedes tienen ya su consuelo!
>
> ¡Pobres de ustedes, los que ahora están satisfechos, porque después tendrán hambre!
>
> ¡Pobres de ustedes, los que ahora ríen, porque van a llorar de pena!

¡Pobre de ustedes cuando todos hablen bien de ustedes, porque de esa misma manera trataron a los falsos profetas en tiempos de sus antepasados!"

Lc. 6, 24-26

En otro momento, Jesús contó esta parábola:

"Después les dijo: Eviten con gran cuidado toda clase de codicia porque, aunque uno lo tenga todo, no son sus pertenencias las que le dan vida. Enseguida les propuso este ejemplo: Había un hombre rico al que sus tierras le habían producido mucho. Se decía a sí mismo: ¿Qué haré? Porque ya no tengo dónde guardar mis cosechas. Y añadió: Ya sé lo que voy a hacer, echaré abajo mis graneros y construiré otros más grandes, para guardar mi trigo y mis reservas y me diré: Alma mía, tienes muchas cosas almacenadas para muchos años; descansa, come, bebe, pásalo bien". Pero Dios le dijo: "Tonto, esta misma noche te van a pedir tu vida, ¿Quién se quedará con lo que amontonaste?". Así le pasa al que amontona para sí mismo en vez de trabajar por Dios."

Lc. 12, 15-21

4. El camino para llegar al REINO es DURO; exige participación, sufrimiento y renuncia.

"Luego llamó no solamente a sus discípulos sino que a toda la gente, y les dijo: 'Si alguno quiere seguirme, que se niegue a sí mismo, tome su cruz y sígame. Porque el que quiere asegurar su vida la perderá; en cambio, el que se pierda su vida por mí, y por el Evangelio, se salvará.

¿De qué le sirve al hombre ganar el mundo entero si se pierde a sí mismo?' "

Mc. 8, 34-36

5. El distintivo, *la identidad de los ciudadanos del Reino es EL AMOR*. Jesús lo expresó muchas veces en el Sermón

del Monte y en sus discursos, pero la formulación más clara nos la expresó en el Sermón de la Ultima Cena:

> "Les doy un Mandamiento nuevo: Que se amen unos a otros. Ustedes se amarán unos a otros como yo los he amado".

Jn. 13, 34

Y añade estas palabras que consagran la identidad del cristiano:

> "Así reconocerán todos que ustedes son mis discípulos: si se aman unos a otros."

Jn. 13, 35

En este Reino *el centro lo ocupa DIOS* al que Jesús nos dice que llamemos PADRE, como El lo hacía, o más exactamente ABBA, es decir, PAPA, la expresión cariñosa con que los niños y también las personas adultas nombraban a su Padre. Este hecho causó un gran escándalo en los judíos. Sin embargo, no es simplemente un capricho de Jesús, tiene todo un sentido profundo de revelación, confianza, respeto y amor a Dios. Dios ya no va a ser simplemente el "Dios de los Cielos", ni YAHVEH, sino el papá de la gran familia de los *ciudadanos del Reino,* y por eso, éstos deberán tratarse como hermanos.

6. *El pecado es la oposición,* el enemigo del cristiano. Por eso el mundo en pecado perseguirá a los discípulos de Jesús, no podrá conocer al Padre:

> "Cuando el mundo los odie, recuerden que, primero que a ustedes, el mundo me odió a mí. Si ustedes fueran del mundo, el mundo los amaría, porque el mundo ama a los que le pertenecen. Pero a ustedes el mundo los odiará porque no son del mundo, sino que los elegí de en medio del mundo."

Jn. 15, 18-19

7. *El ser ciudadano de este Reino* no es algo a lo que se llega por méritos propios, es *regalo* de Dios; y este regalo se

le ofrece a todos como invitación, no como imposición; supone que la persona acepta libremente esta invitación. Unos responderán afirmativamente y otros en cambio, rechazarán por diferentes razones esta gracia de Dios. Un día Jesús explicaba esta idea con la siguiente parábola:

"Jesús respondió: Un hombre daba un gran banquete, e invitó a mucha gente. A la hora de la comida, envió a su sirviente a decir a los invitados: 'Vengan ya está todo listo'.

Pero todos, sin excepción, comenzaron a disculparse. El primero le dijo: 'Compré un campo y es necesario que vaya a verlo; te ruego que me disculpes'. El otro dijo: 'Acabo de comprar cinco yuntas de bueyes y voy a probarlas. Te ruego que me disculpes.' Otro dijo: 'Acabo de casarme y por esta razón no puedo ir.' El sirviente al regresar, contó todo esto a su patrón. Entonces éste, enojado, dijo al sirviente: 'Anda rápido por las plazas y calles de la ciudad y trae acá a los pobres, a los inválidos, a los ciegos y a los cojos.' Volvió el sirviente y dijo: 'Señor, se hizo lo que mandaste y todavía queda lugar.' El patrón le contestó: 'Anda por los caminos y por los límites de las propiedades y obliga a la gente a entrar, de modo que mi casa se llene. Porque les declaro que ninguno de esos señores que yo había invitado probará mi banquete.' "

Lc. 14, 16-24

8. *Tiene una escala de valores* que es la opuesta a la del mundo en pecado. El mundo aprecia el dinero, el honor, el poder . . . a estos valores se oponen los nuevos del Evangelio, expresados sobre todo en el Sermón del Monte y más especialmente en las "Bienaventuranzas":

"Jesús al ver toda esa muchedumbre, subió al cerro. Ahí se sentó y sus discípulos se le acercaron. Comenzó a hablar, y les enseñaba así:

'Felices los que tienen espíritu de pobre, porque de ellos es el Reino de los Cielos.

Felices los que lloran, porque recibirán su consuelo.

Felices los pacientes, porque recibirán la tierra en herencia.

Felices los que tienen hambre y sed de justicia porque serán saciados.

Felices los compasivos, porque obtendrán misericordia.

Felices los de corazón limpio, porque ellos verán a Dios.

Felices los que trabajan por la paz, porque serán reconocidos como hijos de Dios.

Felices los que son perseguidos por causa del bien, porque de ellos es el Reino de los Cielos' ".

Mt. 5, 1-10

9. *El Reino ya está presente y todavía no ha llegado.* Esto nos es difícil de comprender porque *estar* y *no estar* son dos conceptos contradictorios. Sin embargo, ésta es la paradoja del Reino y de nuestra existencia cristiana.

¿Qué significa que ya está? Con esto queremos decir que ya está en sus ciudadanos —los cristianos y los hombres y las mujeres de buena voluntad—, en el nuevo orden de valores vividos, y por los que el cristiano lucha y trabaja. Está presente, como sentido de nuestra existencia, como promesa y esperanza. Así debemos entender la segunda parte de cada Bienaventuranza: "porque de ellos..."

Pero no está todavía, porque esa promesa no se ha realizado en nosotros en toda su plenitud. Todavía tenemos que sufrir, ser tentados por el otro reino, el reino del pecado del mundo, cruzar el "desierto", enfrentarnos con la muerte...

Quizás un ejemplo sencillo pueda ayudarnos a comprender esta realidad, aunque con las limitaciones de lo que es solamente un ejemplo:

Una mujer embarazada espera deseosa el nacimiento de un hijo. Vive ya y se prepara para la maternidad que espera. Todavía no puede expresar el gozo de abrazar, besar y contemplar el rostro de su hijo; pero ya lo tiene en sus entrañas, lo puede sentir en su vientre y puede vivir la esperanza de su maternidad: todavía no ha llegado a ser madre y ya lo es como promesa futura y esperada...

Algo así sucede con el cristiano —el ciudadano del Reino— en sus entrañas lleva ya este Reino y sus valores, pero no podrá abrazarlo y vivir la definitiva alegría de su presencia hasta el futuro, que se le abre también como promesa y esperanza: *"El Reino se acerca"*. Por eso para los cristianos el futuro no es amenaza, sino aquello que va a llenar todas sus aspiraciones como persona. El presente no puede ser una espera pasiva, tiene que ser un compromiso con los valores del Reino, que le llevarán a ser "fermento" que transforme la sociedad, que lucha por la paz, por un mundo más justo... que ante las opresiones presentes, es mensaje, actitud liberadora; ante el individualismo y la soledad anuncia una familia de hermanos que comparten un mismo Padre; ante el dolor y la desesperación ofrece un horizonte que es futuro; se acerca y colmará de plenitud todas las ansias; y deseos de felicidad de la persona humana.

Jesús, el Reino, y Nosotros

Jesús no sólo predicó el Reinado de Dios, El vivió y encarnó en su vida todos los valores de esta realidad. En este sentido Jesús no es sólo el predicador de esta Buena Noticia, El es también el modelo de ciudadano de este Reino.

El tuvo que pasar por la dureza, las incomprensiones, las angustias de la vida y también por la muerte.

Jesús resucitó y en El se ha cumplido ya en toda su plenitud la promesa del Reino de Dios.

Nosotros seguimos caminando por la vida en este mundo

ambiguo en el que encontramos mezclados la huella de Dios y las huellas del pecado.

Jesús se nos presenta como el que ya vive y disfruta de la paz y la felicidad anunciada.

El ha vivido en su vida las bienaventuranzas como lucha y sacrificio; ahora las vive en toda su plenitud como DICHA.

En este sentido Jesús es el CAMINO seguro que nos lleva al Reino; es la LUZ que nos indica el sendero; y es la ESPERANZA realizada, que nos anima a seguir hasta que también nosotros vivamos en plenitud la dicha de la que EL ya disfruta.

El Proyecto de Jesús

Después de todo esto podemos preguntarnos: ¿Qué es lo que pretendía Jesús al anunciarnos este Reinado de Dios?

El vino a llenar todas las aspiraciones humanas a la felicidad. A decirnos que realmente Dios toma y forma parte de nuestra historia.

El dolor, el sufrimiento, el fracaso y la muerte toman un sentido nuevo, puesto que no son lo último, lo definitivo. La persona humana a pesar de todo eso, puede y está llamada a la felicidad plena.

El discípulo de Jesús —el ciudadano del Reino— tendrá que sufrir y recorrer este camino que es "desierto" y que se llama vida, pero al final todos podemos ser felices, compartiendo con El la Resurrección.

Esto no significa que el cristiano tenga que estar simplemente esperando resignado a que llegue ese momento del encuentro con la esperanza hecha realidad.

El cristiano tiene que luchar y trabajar por establecer ya aquí en esta vida una sociedad construida sobre los cimientos de los valores del Reino anunciados en el Evangelio: sinceridad frente a la hipocresía, paz frente a la guerra y desunión, amor frente a la indiferencia y al odio.

Cuando Jesús envía por todo el mundo a sus discípulos, no es para que anuncien sin más la Buena Nueva, sino para que la realicen, para que transformen la sociedad de pecado en Nueva Humanidad.

Estos discípulos van y forman un pueblo que se llama Iglesia y que tiene como misión principal anunciar y realizar ese proyecto de Jesús que se llama EL REINADO DE DIOS.

Reflexión y Oración

44. Jesús Llama Dichosos a los Desdichados

Lc. 6, 20-26

Con frecuencia, cuando vemos una familia pobre, una mujer enferma, un hombre sin empleo, decimos: "¡Pobrecito, pobrecita!"

Un día Jesús se puso a predicar la Buena Noticia del Padre y dijo todo lo contrario. S. Lucas nos lo cuenta así:

> Levantando entonces los ojos hacia sus discípulos, dijo: "Felices los pobres, porque de ustedes es el Reino de Dios. Felices ustedes, los que ahora tienen hambre, porque serán satisfechos.
>
> Felices ustedes, los que lloran, porque reirán.
>
> Felices ustedes si los hombres los odian, los expulsan, los insultan y los consideran unos delincuentes a causa del Hijo del Hombre. En ese momento alégrense y llénense de gozo, porque les espera una recompensa grande en el Cielo. Por lo demás, ésa es la manera como trataron también a los profetas en tiempos de sus padres."

Lc. 6, 20-23

Es frecuente también que cuando nos encontramos con los ricos, con los que triunfan en lo profesional, en la política, en la fama, exclamemos: "¡Qué suerte tiene!"

Jesús no pensaba así y por eso les avisó:

> "Pero ¡pobres de ustedes los ricos, porque ustedes tienen ya su consuelo!
>
> ¡Pobres de ustedes, los que ahora están satisfechos, porque después tendrán hambre!
>
> ¡Pobres de ustedes, los que ahora ríen, porque van a llorar de pena!

¡Pobres de ustedes cuando todos hablen bien de ustedes, porque de esa misma manera trataron a los falsos profetas en tiempos de sus antepasados! "

Lc. 6, 24-26

Es posible que más de uno habrá pensado que Jesús no estaba cuerdo. ¿Cómo es posible llamar "dichosos" a los desdichados y "desdichados" a los dichosos?

Y nosotros, ¿qué pensamos? ¿A quién llamamos y por qué llamamos "dichosos" a los demás?

Señor, sabemos que las bienaventuranzas, no son simplemente palabras bonitas para ser escuchadas en los sermones o leídas en los Evangelios.

Sabemos que son una exigencia; que tienen que ser un modo de pensar, un modo de valorar las cosas y un modo de vivir. Pero es difícil. Hoy te pedimos que conviertas nuestros corazones, que cambies nuestra mentalidad, para que también nosotros apreciemos las cosas y la vida con tus criterios del Sermón de la Montaña.

45. Orar es Hablar con Nuestro Padre

> *"El les dijo: 'Cuando recen, digan:*
> *Padre, que tu nombre sea santifica-*
> *do, que venga tu Reino.*
> *Danos cada día el pan que debemos*
> *esperar.*
> *Perdónanos nuestros pecados, pues*
> *nosotros mismos perdonamos al que*
> *nos debe.*
> *Y no nos sometas a alguna prueba' ".*
>
> Lc. 11, 2-4

Los discípulos de Jesús llevaban ya un tiempo con El. Un día le dijeron Maestro enséñanos a orar. Jesús no les enseñó unas técnicas ni les dio un curso sobre oración. Simplemente les dijo que no fueran como los fariseos, que les gustaba que les vieran. Que ellos deberían recogerse y que llamaran a Dios "Padre". Como ejemplo de oración les enseñó el Padre Nuestro. Orar es difícil para muchos, y sin embargo tendría que ser fácil pues orar es conversar con Dios, nuestro Padre.

Pero, ¿dónde están entonces nuestras dificultades para orar? Son muchas y no dependen de Dios sino de nuestras infidelidades. Fijémonos especialmente en una bastante general: *nuestro egoísmo.* Pasamos tiempo sin rezar, si algo nos va mal, entonces nos acordamos de Dios. Pero si el problema se arregla, a veces, ni le damos las gracias. Y cuando no se soluciona a nuestro gusto, fácilmente nos desanimamos, en muchas ocasiones dejamos la oración, nos parece inútil; al fin Dios no me escucha . . .

Sin embargo, Dios, nuestro Padre, siempre nos escucha y siempre nos ve cuando hacemos el bien y cuando hacemos el mal. Pero El sabe más que nosotros y no siempre lo que le pedimos es lo mejor . . . muchas veces lo mejor no es que

Dios cambie las cosas a nuestro gusto sino que nos cambie a nosotros, que transforme nuestro corazón, de modo que sepamos vivir como cristianos con fe y con esperanza, los momentos duros de nuestra existencia y no nos engañemos queriendo hacer de la tierra un paraíso permanente.

Señor, hoy nosotros también te pedimos que nos enseñes a orar, que nos ayudes a comprender que no podemos ser egoístas, que no sólo podemos pedir que nos des el pan nuestro de cada día, que tenemos también que orar con las demás peticiones que nos dejaste en el Padre Nuestro.

Enséñanos a presentarnos a Ti, desinteresados, dispuestos a hacer tu voluntad, desprendidos de nuestros proyectos para trabajar por el tuyo: establecer en esta tierra llena de violencia un Reino de comunicación, convivencia y amor. ¡Jesús, no nos dejes caer en la tentación del egoísmo!

46. Parecía Sal

Mt. 5, 13

Es frecuente cuando los adultos nos ponemos a conversar y a juzgar a la juventud que nos sintamos pesimistas. ¡Qué cosas tenemos que ver! ¡Qué poca vergüenza! ¡Ya no se puede andar por la calle! ¡A dónde vamos a parar!

Algunos ponen una cierta esperanza y dicen: Pidamos a Dios, no hay remedio, tal como se ven las cosas . . .

Está muy bien pedir a Dios por todo y de un modo especial por esta generación joven a la que le ha tocado vivir tiempos tan difíciles, pero pienso que nosotros podemos hacer algo más. Hoy les invito a reflexionar un poco sobre unas palabras de Jesús:

> "Ustedes son la sal de la tierra. Y si la sal pierde su sabor, ¿con qué se salará? Ya no sirve más que para tirarla a la calle y que la pise la gente."
>
> Mt. 5, 13

Pero, ¿Somos realmente nosotros sal en esta sociedad? ¿Somos de verdad cristianos que dan sabor con sus obras, con su modo de vivir? ¿O somos de esos cristianos de nombre, pero no de vida?

A veces hablamos de "no perder la Misa" pero, ¿significa esto que estamos a bien con Dios, que hacemos oración, que le tenemos a El como nuestro único Señor? O por el contrario, lo que significa es ir a la Iglesia estar allí, cumplir . . .

Muchas veces le hemos dicho a nuestros hijos "no se dicen mentiras" pero, ¿quién les enseñó a mentir? "Dile que no estoy, es una pesada", "cuánto me alegro de que todo le haya salido bien"; y cuando se marcha, sus hijos le escuchaban y aprendían de usted a mentir.

Estamos de acuerdo que tenemos que amar a todos, pero ¿y nuestras críticas, nuestras venganzas, nuestra vida ignorando las necesidades y la soledad de los demás?

¿No cree que muchas veces nuestro cristianismo rutinario no es más que sal que ha perdido el sabor? Sí, se sigue llamando sal pero no sazona.

Cuando juzgamos a los más jóvenes, tenemos que examinar nuestra conducta. Quizás ellos no son más que una comida sin sazonar, porque nuestra sal es insípida.

Jesús danos sinceridad. Que sepamos distinguir que una cosa es llamarse cristianos, cumplir con algunos ritos, y otra muy distinta es serlo: comprometerse en la vida, amar sin condiciones . . . entonces sí, nuestro cristianismo dará sabor a esta sociedad que a veces nos parece más salvaje que humana.

Señor, que no seamos como esa sal de la que tú hablas y que sólo vale para que la pise la gente: Sólo parecía sal.

47. Nunca Estamos Satisfechos

Mt. 6, 25

Con frecuencia nos sentimos insatisfechos y ansiosos, si yo pudiera tener... y después, según nuestras posibilidades, vamos comprando cosas y más cosas, pero la verdad es que nunca quedamos satisfechos. Cuando hemos conseguido algo ansiado ya estamos deseando otras cosas; sufrimos más por lo que todavía no tenemos, que lo que disfrutamos por lo que ya hemos conseguido.

Vivimos en una gran equivocación: creerse que las cosas nos van a hacer felices. De hecho si miramos hacia atrás, ¿éramos menos felices por poseer menos cosas? Jesús un día ante una muchedumbre a la que, sin duda, de algún modo le pasaba lo mismo que a nosotros, dijo así:

> "No anden preocupados pensando qué van a comer para seguir viviendo, o con qué ropa se van a vestir. ¿No es más la vida que el alimento, y el cuerpo más que la ropa?"

Mt. 6, 25

Señor, perdona nuestras ansiedades, nuestras faltas de confianza en Ti, nuestros despilfarros, nuestro apego a las cosas.

Perdónanos cuando, por poseer cosas, gastamos el dinero que debiéramos invertir en los alimentos y otras necesidades de la familia.

Ayúdanos a comprender que no son las cosas, el tener, lo que nos va a hacer felices, sino el ser personas honestas, el vivir con la conciencia tranquila, el compartir lo mucho o lo poco que tengamos con el que lo necesita.

Perdónanos cuando nos sentimos superiores a los demás por lo que poseemos: mejor carro o mejor apartamento, o mejor ropa.

48. Cada Uno que se las Arregle

No juzguen y no serán juzgados;
porque de la manera que juzguen
serán juzgados y con la medida con
que midan serán medidos. ¿Por qué
ves la pelusa en el ojo de tu herma-
no y no ves la viga en el tuyo?
¿Cómo te atreves a decir a tu her-
mano: Déjame sacarte esa pelusa
del ojo, teniendo tú una viga en el
tuyo?

MT. 7, 1-4

Estamos acostumbrados a vivir de un modo muy individualista nuestra existencia. Cada uno que se las arregle
como pueda, decimos con frecuencia, y lo peor es que ac-
tuamos así. Gran parte de las veces en que nos preocupamos
de la vida de los demás, es para criticarla . . . en el fondo
siempre pensamos que los otros son peores que nosotros.
Los que van a Misa piensan, que son malos los que no van,
"sabe Dios cómo vivirán los pobrecitos . . ." Los que no van
a misa, piensan que son peores los que van . . . "Para ser
como ellos, mejor es no ir . . ."

Yo me pregunto ¿es que realmente somos tan buenas
personas como para juzgar y sentirnos mejor que los demás?
¿Tenemos derecho a juzgar a alguien, como mala persona,
porque no va a Misa? ¿Crees tú que hablas con sinceridad
cuando dices "para ser como ése mejor es no ir a Misa?" ¿Es
que se obliga a ser mala persona a los que van a la Iglesia?
¿Por qué no dices mejor la verdad: que te da pereza, que no
te gusta, que no crees . . . *tu verdad?* Disculparse con la
conducta de los demás, supone siempre una falta de valentía y mucho de hipocresía.

Jesús nos dice: *"No juzguen y no serán juzgados".*

Sí, un día nuestra vida aparecerá al descubierto y entonces seremos juzgados en serio, por nuestras críticas, por los juicios duros que hicimos de los demás.

Señor, perdona mis pecados de crítica, mi mal pensar del prójimo. Que sepa buscar lo bueno de las personas, que perdone a los que me ofenden . . . que mi actitud en la vida sea comprensiva. Que ayude a hacer la existencia un poco más llevadera a mis hermanos.

Señor, que comprenda que ser cristiano no es juzgar la conducta de los demás, sino comprometerme y amar.

49. Hijos Sobre la Arena

Mt. 7, 21-28

Existen muchas familias hispanas trabajando, sacrificándose, renunciando a comodidades para poder ofrecer a sus hijos un futuro mejor que el propio.

Sí, queremos lo mejor para nuestros hijos y por eso ahorramos, hacemos cuentas para ver si podemos llevarlos a mejores escuelas... quizás soñamos con que hagan una buena carrera... cuánto nos gustaría que el día de mañana pudieran ser doctores, profesores, economistas, abogados...

Evidentemente que está muy bien sacrificarse por los hijos y ojalá nunca perdamos esa ilusión.

Pero a veces al intentar construir el futuro de nuestros hijos, pensamos sólo en el dinero, en el nivel de vida, en la altura de su profesión... si así fuera estaríamos cayendo en aquel defecto que Jesús apuntaba cuando decía:

> "Es como el hombre necio que edificó su casa sobre la arena. Cayó la lluvia a torrentes, soplaron los vientos contra la casa hasta derrumbarla y la ruina fue grande".

Mt. 7, 26s

Sí, son muchas las familias que al pensar en el futuro de sus hijos, valoran más la cantidad de dinero que puedan tener que en la honradez de sus vidas. Piensan más en el nivel de vida que en el modo de vivir.

Señor, danos claridad para que al pensar edificar el futuro de nuestros hijos, tengamos sobre todo en cuenta tus palabras.

Que no edifiquemos sobre la arena de las cosas materiales... que más tarde o temprano se derrumban y sí, entonces la ruina será grande.

Danos claridad para que veamos que lo principal del

futuro de nuestros hijos no es que sean doctores o abogados, sino que sean cristianos. Que lo importante no va a ser su nivel de vida, sino su sentido de vida honesta, su fidelidad a la familia ...

Señor, ayúdanos a edificar el futuro de nuestros hijos sobre tus palabras que son roca; que no dejemos a nuestros hijos sobre la arena.

50. Si Fuéramos Poderosos

> *Y añadió esta parábola: "El Reino de los Cielos es semejante a la levadura que toma una mujer y la mezcla con tres medidas de harina, hasta que todo fermenta."*
>
> Mt. 13, 33

Muchos de nosotros alguna vez hemos tenido la idea de transformar el mundo, de hacer un mundo mejor... pero qué difícil... nos pareció imposible. ¿Quién puede cambiar todo esto? Si fuéramos políticos importantes, militares o financieros... pero yo ¿qué puedo hacer?

Jesús no pensaba así. Nos dice que el Reino de los Cielos es como un poco de levadura, algo muy pequeño, pero es lo que hace que el pan sea pan y se haga grande, es lo que le da sabor... De poco serviría un buen horno, unos buenos panaderos, un buen enfoque económico del negocio, sino tuviéramos levadura.

Eso es lo que tiene que ser el cristiano, levadura, en medio de esta masa, fermento de amor, de comprensión, de un sentido de la vida diferente.

No necesitamos grandes capitales, ni grandes estructuras, ni grandes poderes para cambiar el mundo, necesitamos ser fermento. Y ser fermento significa creer en Jesús Salvador y Liberador; significa seguir su doctrina y sus mandamientos, en especial aquel que El llamó el Mandamiento Nuevo: el mandamiento del amor.

Este fue el distintivo de los primeros cristianos. Tenían un imperio en contra de ellos que les perseguía y les hacía vivir bajo tierra en las catacumbas, no tenían dinero y muchas veces tampoco tenían libertad. Hoy somos muchos millones de cristianos gracias a ellos.

Señor, que no midamos nuestra fuerza por la grandeza

de nuestras estructuras, por el acierto de nuestros programas de catequesis, por el poder político de los cristianos, que midamos nuestra fuerza como Tú; que una y otra vez nos preguntemos si somos realmente fermento. Si practicamos tu mandamiento del amor, si nos dedicamos a compartir en vez de poseer, si pensamos en los demás en vez de vivir sólo para nosotros.

Señor, que todos comprendamos que sólo la fe en Ti, es fermento y fuerza que puede trasladar montañas.

51. Señor, ¿Por qué Está Ciego, Por el Pecado de El o de sus Padres?

Si se planta un árbol bueno, su fruto será bueno; si se planta un árbol malo su fruto será malo, pues el árbol se conoce por sus frutos."

Mt. 12, 33

Al pasar, Jesús por el camino se encontró con un ciego de nacimiento. Sus discípulos le preguntaron: "Maestro, ¿por qué está ciego, por el pecado de él o de sus padres?" (Jn. 9, 1-2).

Ayer pasaba yo por un barrio hispano. En muchas esquinas me encontré con jóvenes vendiendo drogas . . .

Una buena señora me detuvo: "Padre, se ha enterado, esto está muy caliente, hay dos "gangas" de hispanos peleando." Ayer mataron a un muchacho de 19 años, otro está muy grave en el hospital . . .

¡Cuántos ciegos, Señor!, y yo también te pregunto, ¿están ciegos por su pecado o por el de sus padres? Sí, Jesús, tú conoces a muchos hispanos que han emigrado a este país haciendo grandes sacrificios para librarse de la pobreza y de la miseria. Pero muchos que te conocían desde niños, que tantas veces te rezaban en su pueblo, se han olvidado de Ti . . . ahora sus hijos crecen en otro modo de opresión y de miseria mucho más grave, que les lleva a la ceguera. Señor, ¿están así por su pecado, o por el de sus padres?

Jesús, que los cristianos intentemos de verdad vivir comprometidos con la fe que confesamos. ¿Por qué muchos de los ricos que se llaman cristianos creen que estos problemas no tienen que ver con ellos? Señor, es fácil caer en la ceguera ante una sociedad que presenta el dinero como la fuente de felicidad, el éxito como título de dignidad humana, la competición como medio de sobrevivir.

Por eso hoy, Señor, te pedimos por tanta gente buena que ha venido para sobrevivir y se cegaron ante el dinero, los placeres y una vida puramente material; pero, sobre todo, te pedimos por sus hijos, tantos jóvenes que viven ya la decepción de toda esperanza. Que no les condenemos: que intentemos ayudarles. Y sobre todo, ¡ayúdales Tú, Señor!

52. Una Ofrenda Grande

El Reino de los Cielos es semejante
a un comerciante que busca perlas
finas. Si llega a sus manos una perla
de gran valor, vende cuanto tiene,
y la compra.

Mt. 13, 45-46

Muchas veces nosotros nos admiramos y nos dejamos deslumbrar por aquellos que tienen poder, que poseen un buen carro, un buen apartamento . . . nos gustaría ser así . . . les tenemos como un ejemplo, como un modelo de vida.

Jesús veía las cosas de distinto modo.

Una vez estaba a la entrada del templo rodeado de la gente, le preguntaban, respondía . . . muchos se acercaban a ofrecer su ofrenda. Jesús conversaba, pero de repente paró, vio a una mujer viuda, que entregaba a Dios los pocos centavos que tenía. ¿Quién se iba a fijar en ella? Jesús lo hizo y la alabó públicamente: "YO LES ASEGURO QUE ESTA POBRE VIUDA DEPOSITO MAS QUE TODOS ELLOS PORQUE TODOS DAN A DIOS DE LO QUE LES SOBRA, EN CAMBIO LA POBRE DIO LO QUE TENIA PARA VIVIR." (Lc 21, 1-4)

Señor, en nuestro pueblo hispano existen muchos pobres,
muchas madres, muchos padres, muchos jóvenes que dan
muy poco, pero dan todo lo que tienen, su trabajo, su hon-
radez, su tiempo, su sudor . . . Hombres y mujeres que des-
pués de un trabajo duro asisten y animan en las reuniones,
visitan a los enfermos . . . ¡cuántas personas ayudan con la
sencillez de esa pobre viuda!

En estas personas no se van a fijar ni los periódicos ni la
televisión. Sin embargo, yo sé que Tú sigues fijándote en
ellos y vuelves a repetirnos aquella frase que dijeras de la

mujer viuda: LES ASEGURO QUE ESTOS DEPOSITA-RON MAS QUE TODOS.

Jesús, ayuda, sigue dando fortaleza y esperanza a tantos hombres y mujeres, muchachas y muchachos hispanos, que no son famosos porque son pacíficos y buenos, que comparten lo que tienen, aunque tengan poco, con los demás.

Tú sabes, Jesús, que en nuestro pueblo existen muchos corazones como los de aquella viuda.

¡Por tanta gente buena, gracias, Señor!

53. Pobrecita, tan Joven

Mt. 19, 11-12

Celebré una Misa en la que una muchacha puertorriqueña, hacía sus votos de religiosa. "Lástima", dijo alguien, "tan joven... poco más de veinte años... es demasiado pronto para enterrarse y vestirse con los hábitos."

La Hermana Carmen, no era causa de lástima, era una muchacha que había elegido en la vida un camino duro, pero no triste.

Había renunciado a su maternidad, para poder ser "hermanita" de cualquier persona que pase por su vida.

En un mundo en que el amor está siendo vaciado y confundido con el instinto y el placer, ella ha elegido expresar su amor con su sacrificio, que es entrega, renuncia, soledad... pero al final realmente AMOR. Amor sin disfraces, sin palabras bonitas... Pero amor con hechos.

Ha renunciado al dinero en un mundo en el que muchos le adoran, para servir mejor a la persona que sufre, a la persona que es pobre... no va a servir a las riquezas ni al poder, porque ha elegido servir a los sin dinero y a los sin poder.

Algún día la verán, sin reconocerla, ayudando a una muchacha drogadicta, tratando de regenerar a una prostituta, acompañando a una persona sola, cerrando los ojos y recogiendo el último aliento del que muere.

Jesús un día dijo: "Hay personas que por amor al Reino de los Cielos, se quedan sin casarse, —y añadió— El que sea capaz, que entienda".

Los que le tenían lástima no habían sido capaces de entender; la hermana Carmen, sí.

54. Los Fariseos de Siempre

Mт. 23, 13-36

Al leer el Evangelio llama la atención la actitud tan comprensiva que tiene Jesús ante los pecadores. Pero hay una excepción: Se muestra muy duro con el pecado del fariseo, de la hipocresía, la falta de sinceridad . . .

Es necesario que hoy escuchemos en nuestro lenguaje las duras condenaciones que Jesús hiciera de los fariseos, porque los fariseos no han desaparecido:

¡Ay de nosotros, los hombres de negocios que damos limosnas a la Iglesia y al mismo tiempo explotamos a nuestros trabajadores!

¡Ay de nosotros, los que vamos a Misa, cumplimos con los sacramentos, pero condenamos a los demás, les criticamos y les marcamos!

¡Ay de nosotros, los racistas, los que pertenecemos a la raza condenada por Jesús, la raza de los hipócritas y fariseos!

¡Ay de aquellos, que sonríen, ponen buena cara, para estafar y aprovecharse de los demás!

¡Ay de nosotros, los que confundimos ser honrados con la pura apariencia de parecer ante los demás, que lo somos!

¡Ay de nosotros, los que cuidamos nuestro modo de vestir y nuestras formas externas de educación y por dentro estamos despreciando!

¡Ay de nosotros, los que nos creemos superiores por nuestro dinero, nuestra cultura, nuestro poder . . . y todo esto lo utilizamos para oprimir!

¡Ay de nosotros, si nos falta la sinceridad, la humildad, la comprensión ante las caídas de los demás, porque Jesús nos llamó sepulcros blanqueados: por fuera limpios, por dentro: huesos, gusanos, podredumbre, mal olor . . .!

Jesús ayuda a tantas personas marcadas por nuestras actitudes farisaicas. Por tantos y tantos oprimidos, víctimas de los *fariseos de siempre*.

Danos, Señor, sinceridad para que reconozcamos ese mucho o poco que existe en nosotros de hipocresía.

55. Unos Dicen . . .

JN. 4, 1-42

A veces, cuando uno mira con un poco de detenimiento a una parroquia, encuentra muchas divisiones. Por una parte están los que van a la Iglesia y los que no van. Entre los que van, están los que simplemente asisten y aquellos que se han comprometido a algo más y pertenecen a alguna asociación. Pero entre éstos, también existen muchas divisiones: Si uno no es cursillista, a veces tiene que oír que todavía no se ha convertido; si no es carismático, puede escuchar que todavía no ha recibido el bautismo del Espíritu Santo . . . y así vamos haciendo grupos y divisiones.

Yo creo que sería bueno que pensáramos un poco con más profundidad en estos criterios muy particulares y sobre todo en el hecho de la división.

Una vez Jesús pasaba por un camino. Tenía sed y le pidió de beber a una mujer pecadora, la samaritana, que estaba sacando agua del pozo. Después de hablar un poco y conocer ella que El era el Mesías, le pregunta: Unos dicen que para adorar a Dios hay que ir a Jerusalén, nosotros decimos que tienen que venir aquí al lugar de los samaritanos; ¿quién tiene razón? Jesús le dio una respuesta que puede hacernos pensar también a nosotros:

> "Ha llegado el momento en que a Dios se le puede adorar en cualquier parte, pero hay que adorarle en Espíritu y en Verdad."

Señor, que entendamos estas palabras tuyas, para que seamos humildes, para que no dividamos la comunidad con criterios que no son tuyos.

Que los cristianos de hoy comprendamos que da lo mismo ser de una asociación o ser de otra, que lo que importa es adorar y servir a Dios en Espíritu y en Verdad.

Que comprendamos que no es la asociación a la que per-

tenecemos, la que nos hace buenos, sino nuestra actitud de honradez y sinceridad.

Perdona, Señor, nuestras divisiones, danos humildad y que el adorarte a Ti en espíritu y en verdad sea lo que realmente nos una.

56. Un Cuerpo Marcado . . . Un Corazón Puro

Lc. 7, 36-50

Un día Jesús fue invitado a comer en casa de un fariseo; un hombre con buena posición económica y buen cumplidor de la Ley. Una "mujer de la vida" se pone a los pies de Jesús... recuerda sus caídas, sus pecados, llora, se arrepiente...

El fariseo piensa: "si este hombre fuera el Mesías, caería en la cuenta de quien es ESA".

Es verdad, Jesús era el Mesías, el Liberador, y caía en la cuenta de quién era esa mujer; era alguien que había cometido muchas equivocaciones en su vida, que había llegado a vender incluso su cuerpo; y ahora, era una persona humana que se arrepentía y lloraba sus pecados.

Para el fariseo era *una mujer marcada*, para Jesús era *una mujer con el corazón puro*.

Qué distinta manera de juzgar: Jesús mira lo de adentro, nosotros los fariseos, miramos lo de afuera. Jesús perdona y olvida, nosotros marcamos, criticamos, condenamos...

Quizás tú, hoy, te sientes también marcado o marcada por la sociedad. Quizás estás en una cárcel o en un apartamento con un hijo de soltera, o con la tristeza y la desilusión del despertar de una noche de juerga, de droga, de placer... Quizás sientes que tu vida ya no tiene remedio, ya tienes demasiadas marcas...

Es posible que los hombres nunca te perdonemos, nunca olvidemos tus equivocaciones. Pero Jesús sí, y ante El puedes recordar tu vida, arrepentirte de tus equivocaciones y escuchar las mismas palabras que escuchara la mujer pecadora de Magdala: "Tus pecados te son perdonados, vete en paz".

Señor, ayuda a tantas personas que se han equivocado en la vida, pero que quisieran cambiar, vivir con un corazón puro... que recuerden que Tú perdonas y olvidas, que Tú no marcas, sino que liberas.

57. El Olvido del Hermano

Cada día me encuentro muchas personas: cuando voy en el tren, cuando ando por la calle, cuando salgo a las escaleras de mi casa; con frecuencia nos cruzamos en silencio, como si no fuéramos seres humanos que tienen muchos problemas en común.

Un día le preguntaron a Jesús para tentarle: "Señor, ¿quién es mi prójimo?" Jesús contestó con la parábola del Buen Samaritano: Un desconocido malherido está tirado en el camino; por allí van pasando otros desconocidos... van a su vida, no se sienten obligados a perder su tiempo con alguien que ¡sabe Dios quién será! Pero pasa un Samaritano, se detiene, le ayuda, le lleva a una posada, comparte con él su dinero para que pueda ser atendido y curado. ESTE ES EL PRÓJIMO, según Jesús.

Muchas veces me he preguntado, si los que pasaron de largo habrán sentido remordimientos.

¿Y tú nunca pasas junto a alguien necesitado? ¿No encuentras prójimos en el camino de tu vida? ¿Tampoco tú sientes remordimientos cuando has dejado a un desconocido sin tu ayuda?

Señor, que seamos conscientes de que ser cristiano significa comprometerse con el hermano. Que no olvidemos que para los cristianos, prójimo es todo ser humano que aparece en el camino de nuestra vida y al que me acerco con amor.

Perdona nuestro egoísmo, nuestros pecados de omisión.

Jesús haz Tú hoy con nosotros de Buen Samaritano y cura esta enfermedad contagiosa llamada individualismo, egoísmo, falta de solidaridad, olvido del hermano...

Que de verdad los cristianos trabajemos para hacer realidad la Nueva Humanidad por Tí anunciada. Que nuestro comportamiento ofrezca paz y amor a toda persona que se acerque a nuestra vida.

58. Vacío y Falta de Esperanza

Lc. 13, 22-30

Jesús llevaba ya un tiempo predicando, haciendo milagros, anunciando la Buena Noticia, el anuncio de la Liberación. Sin embargo, a medida que el pueblo caía en la cuenta que El no quería ser su Rey, su líder político, su liberador del modo que ellos habían imaginado, le iban abandonando.

Un día preguntaron, "Señor, ¿cuántos se van a salvar?" Su respuesta fue clara y dura: "La puerta es estrecha; algunos me dirán, Señor, nosotros comimos contigo, te hemos visto por las plazas . . ." Pero Jesús les dirá: "¡Afuera, no les conozco!"

Desgraciadamente sus palabras se cumplieron. Muchos judíos le rechazaron porque no les gustaba su doctrina y su estilo de liberación; y muchos de aquel pueblo que tantos años estuvo viendo y esperando la venida del Salvador, cuando llegó a vivir entre ellos, no le reconocieron.

Pero estas palabras no se referían sólo a los judíos de hace dos mil años; se referían y se cumplieron en todos los pueblos que de un modo u otro le han rechazado o le han cambiado por algo más confortable.

Pienso que a nosotros los hispanos de los EE.UU. estas palabras deberían hacernos reflexionar.

Nuestro pasado fue el de un pueblo católico que creyó, oró, confesó y esperó en Jesús. Pero muchos de los hispanos que han venido a este país, poco a poco le han ido abandonando . . . Su doctrina se les hace dura. Son muchos los que no se casan por la Iglesia, los que no bautizan a sus hijos o lo hacen por rutina, los que viven de un modo individualista sin pensar en el hermano. Son muchos los que han cambiado su catolicismo por otra religión o por la peor de todas: el culto al dinero, al placer . . .

La pregunta es muy sencilla: ¿Nos pasará a nosotros lo mismo que le pasó a muchos contemporáneos de Jesús, hace dos mil años? ¿También nosotros dejaremos de reconocerle, quedándonos hundidos en la obscuridad de este mundo?

Señor, que nosotros no nos dejemos llevar de la comodidad, de las llamadas del mundo a la diversión y al olvido de Ti.

Ayúdanos a que seamos capaces de vivir comprometidos con tu Evangelio. Que sepamos transmitirlo a nuestros hijos.

Pero de verdad ayúdanos, nosotros solos no podemos nada. Danos fuerza para luchar y danos también esperanza para saber vivir con alegría los momentos duros de la vida.

59. Cuando los Perros Sienten Compasión

Lc. 16, 19-31

Al contemplar nuestra sociedad actual, entre muchos horrores existe uno que salta enseguida a la vista: Las grandes diferencias sociales: pueblos pobres y pueblos ricos, personas pobres y personas ricas . . .

Un día, Jesús quiso hablar de este tema, a los ricos les llamó Epulón y a los pobres, Lázaro.

Es muy bonita la historia de Lázaro, abandonado del rico a la puerta de su casa. La puerta nunca se abrió, ni para darle las sobras que se tiraban; sólo unos perros parecían compadecerse de él, lamiéndole las heridas. Pero como en casi todas las historias que nos gustan, al final triunfa el bueno. Sí, la historia termina bien.

A mi se me ocurre preguntarte, y ¿tú, a quién te pareces, a Lázaro o a Epulón? Pero no respondas todavía, profundiza un poco más. ¿Qué era lo malo de Epulón? ¿Ser rico? No, lo malo de Epulón era ser menos sensible que los perros; lo malo de Epulón era que no se preocupaba del pobre, le cerraba la puerta; lo malo de Epulón no era su dinero, era su actitud, cerrada y egoísta.

Ahora sí; ahora puedes responderte, tengas o no tengas dinero. Si tu actitud es cerrarte ante las necesidades de cualquier Lázaro que pase por tu puerta o que encuentres en tu camino, entonces tú serías el Epulón en la historia; si tu actitud es abrirte, ayudar, compartir lo que tienes: tu dinero, tu pan, tu tiempo, tu capacidad de comunicación, tú no eres Epulón.

Y recuerda que la historia del Evangelio terminó muy mal para Epulón: Para todos aquellos que le imitan; que se cierran y que no ayudan. Para ti, ¿cómo va a terminar?

Señor, haznos comprender que tu Evangelio no son meras

palabras para ser escuchadas, sentados o de pie en la Misa. Que tu Evangelio es una Buena Nueva para las personas de buena voluntad, pero que son también una radical condenación para las hipócritas y para los egoístas.

Una vez más te pido perdón por todos mis pecados, especialmente por aquellos en los que imito a Epulón, cuando no me porto como hermano, cuando me porto con los muchos Lázaros que salen a mi encuentro, peor que los perros.

60. Cuando la Ambición se Hace Desunión

"Dos hombres subieron al Templo a orar, uno era fariseo y el otro publicano. El fariseo, de pie, oraba en su interior de esta manera: 'Oh Dios, te doy gracias porque no soy como los demás hombres, que son ladrones, injustos, adúlteros, o como ese publicano que está allí. Ayuno dos veces por semana, doy la décima parte de todo lo que tengo.'"

Lc. 18, 10-12

Los discípulos de Jesús discutían cuál de ellos sería el primero. Sin duda que cada cual se sentía con muchos méritos. Todos ambicionaban algo bueno, sí, ser el primero al lado de Jesús, pero *la ambición es siempre mala.*

Jesús les dijo: "Así se porta la gente del mundo, pero ustedes no deben ser así, EL MAS IMPORTANTE ENTRE USTEDES, SE PORTARA COMO SI FUERA EL ULTIMO." (Lc. 22, 26)

Señor, nosotros los hispanos a veces también discutimos y nos dividimos por la misma razón: que si son mejores los conservadores o los avanzados, los cursillistas o los carismáticos... Nosotros también caemos en el pecado de la ambición.

Jesús, ayúdanos a comprender que aunque aparentemente estamos deseando algo bueno, ser los mejores, sin embargo, estamos haciendo algo malo, nos desunimos, no somos humildes, y caemos en el pecado de la ambición.

Señor, que tu espíritu grabe en nuestro corazón esas palabras: "EL MAS IMPORTANTE ENTRE USTEDES, SE PORTARA COMO SI FUERA EL ULTIMO."

61. No se Dejen Engañar

Lc. 21, 5-37

Se acercaba Jesús a Jerusalén con sus discípulos. Estos quedaron admirados al contemplar la gran ciudad y sobre todo su templo. Lo comentaron con Jesús. Pero Jesús, mirando al futuro triste y preocupado, les responde:

"LLEGARA UN TIEMPO, EN QUE TODO LO QUE USTEDES ADMIRAN AQUI NO QUEDARA PIEDRA SOBRE PIEDRA: TODO SERA DESTRUIDO."

Lc. 21, 6

La destrucción de la ciudad no era lo que más preocupaba a Jesús. Le preocupaba la destrucción de su religión, ese pacto que durante siglos habían mantenido con su Dios, no iba a ser transmitida a los hijós de aquel pueblo.

Y así fue, los hijos de aquella generación vieron la ciudad y el Templo en ruinas y ya no recibieron la religión de sus antepasados porque sus padres habían rechazado a Jesús.

Jesús les había avisado: NO SE DEJEN ENGAÑAR . . . pero fue inútil.

Al contemplar al pueblo hispano en los EE.UU. pienso que estas palabras de Jesús recobran una fuerza especial para nosotros.

Ustedes también han recibido una fe en Dios, la fe católica. Sus abuelos y los abuelos de sus abuelos creyeron en Jesús, en María, en Dios, nuestro Padre . . . Pero, ¿estamos transmitiendo esta fe a las nuevas generaciones, a nuestros hijos?

Señor, que no nos dejemos engañar por tantas y tantas tentaciones, como tenemos a nuestro alrededor.

Que no pensemos que lo que vale es trabajar y ganar dinero.

Que no creamos que lo más importante que podemos

hacer con nuestros hijos, es llevarles al colegio a que saquen una buena carrera.

Que no valoremos más las cosas materiales y temporales, que desaparecerán un día, que la invitación que nos haces a ser ciudadanos de un Reino, en el cual el Señor es nuestro Padre.

Jesús, que no nos dejemos engañar.

62. El Credo de la Vida

> *Los apóstoles dijeron al Señor: "Au-*
> *méntanos la fe". El Señor respondió:*
> *"Si tienen fe como un granito de*
> *mostaza, le dirán a ese árbol que*
> *está ahí: 'Arráncate y plántate en el*
> *mar' y el árbol obedecerá."*
>
> Lc. 17, 5-6

Sucede muchas veces, que no tenemos mucha dificultad en admitir lo que la fe católica nos dice que debemos creer: Que Jesús es el Hijo de Dios, que María es su Madre, que el Papa es su representante en la tierra, que tenemos que amarnos unos a otros, que tenemos que perdonar a los que nos ofenden, que no podemos hacer negocios tramposos, ni difamar, ni criticar; sabemos muchas cosas, pero, ¿cómo las llevamos a la práctica? ¿Cómo vivimos?

Un día los apóstoles se acercaron a Jesús y le suplicaron: "Señor, auméntanos la fe". ¿Pedían los apóstoles que les ayudara a comprender su doctrina, sus parábolas, sus bienaventuranzas?

Sin duda que también le pedían esto, pero, sobre todo, lo que ellos le pedían era que les aumentara la fe, que les llevara a vivir en la práctica esas verdades. Y es que la fe tiene como dos caras: Una es la intelectual, son las verdades que confesamos en el Credo; la otra es más difícil, es la que tiene que llevarnos a vivir como cristianos.

"El Credo de la vida", es la fe que nos tiene que llevar a contemplar el mundo con otros ojos; es la fe que nos compromete con una conducta diferente, es la que nos lleva a no hacer de las riquezas un valor, del que nos ofende un enemigo; a estar dispuestos a sacrificar gustos e instintos, precisamente porque creemos en otros valores. Es la actitud que nos lleva a vivir de una manera distinta al modo y costumbres paganas —ese modo de vida, que a veces se llama lógico—. ¿No es lógico devolver bofetada por bofetada, venganza por venganza?, ¿no es lógico pasarlo lo mejor que podamos, no es lógico ver en el dinero un gran valor?

Señor, nosotros hoy también te pedimos, con la misma sencillez y humildad con que hicieran tus discípulos, "Auméntanos la fe".

Sabemos muchas cosas, las que confesamos en el Credo, pero nos es muy difícil llevarlas a la práctica. Sabemos que debemos amar a los hermanos, pero qué difícil compartir lo que tenemos con el que lo necesita, perdonar a los que me ofenden ...

Señor, aumenta nuestra fe, aquella que tiene que llevarnos al compromiso con la vida real. Señor, el Credo que confesamos en la Misa, no es lo más difícil; realmente lo difícil es creer y vivir "El Credo de la Vida". Conocer cómo debe ser un cristiano no es lo más difícil, lo difícil es vivir como cristiano. Por eso una vez más te pedimos: "Auméntanos la fe".

*Decir "sí" a Dios es abrirse a la vida y
a la esperanza. La vida de María fue
un "sí" radical a Dios.*

V

María, la Madre de Dios

"Me Llamarán Dichosa Todas las Generaciones"

Lc. 1, 26

Una joven muchacha embarazada, sale de su pueblo y se dirige a las montañas para visitar a su prima Isabel. Si todo embarazo es un misterio, el embarazo de esta muchacha resulta especialmente delicado: José, su prometido esposo, no había cohabitado con María la joven muchacha que camina por las montañas buscando comprensión. Sólo los dos prometidos, José y María, creían firmemente que tal embarazo es obra y gracia del Espíritu de Dios.

Isabel era ya una doña mayor. No había podido tener hijos, pero ahora cuando ya nadie lo esperaba, ni podía creerlo, esperaba ella también un niño.

Isabel y María eran dos buenas mujeres, sencillas, como tantas otras de aquellos pueblos. Una de avanzada edad, la otra muy joven. Nadie se habría fijado en ellas. Dios lo hizo. A Isabel la eligió para ser madre de Juan Bautista, el que iba a preparar el camino para la llegada del Señor. A María la escogió para ser la Madre de Jesús, nuestro Dios salvador encarnado.

Las dos primas se saludan con la ternura y la alegría de las personas sencillas que viven con Dios. Isabel felicita a María y esta jovencita en su respuesta dice entre otras cosas: "Desde ahora todas las generaciones, me llamarán DICHOSA."

¿Fue esta frase, simplemente, palabras de una muchachita de barrio?

¿Qué pensarían sus vecinas si la escucharan? Es posible que la llamaran vanidosa y soñadora.

Pero no, María no se equivocó. Todo sucedió como ella había dicho en casa de su prima, allá en las montañas.

¿Existió alguna mujer en la tierra que haya sido más famosa, más querida que María de Nazareth? ¿Ha habido alguna reina, princesa, artista a la que se hayan hecho más homenajes, monumentos, cantos, imágenes, pinturas...? ¿Alguien que haya recibido más flores?

Si miramos hacia atrás, a través de estos dos mil años que nos separan de ese encuentro entre María e Isabel, deberemos reconocer que la profecía de aquella jovencita pobre, se ha cumplido.

Son dos mil años de murmullo de millones de hombres y mujeres de todas las razas, lenguas y colores, rezando una letanía interminable de alabanzas, llamando a María, "DICHOSA".

Aún los no creyentes, tienen que reconocer este hecho: desde aquel día todas las generaciones han llamado "DICHOSA" a aquella jovencita aldeana.

Pero, además, esto ha ido haciéndose espontáneamente.

No fue necesario que las autoridades de la Iglesia lo mandaran. Fue, ante todo, el pueblo el que ha intuido y ha querido alabar de ese modo a María.

Todo esto ha sido verdad a lo largo de los siglos y en los diversos pueblos de la Iglesia Católica, sobre todo, pero no hay duda que entre todos han sido los pueblos hispanos, quizás, los que más se han destacado por llamar "DICHOSA" a María.

Pienso que esta afirmación no es exagerada, ni tampoco es cometer una injusticia con ningún otro pueblo. Es simplemente reconocer un hecho: nuestros padres han vivido el catolicismo llevados de la mano de María, ya desde el comienzo. Nuestra Iglesia es como decían los catecismos "Católica, Apostólica y Romana". Pero para hacer honor a la verdad de la historia, nosotros los hispanos, deberíamos añadir también "MARIANA".

¿Se imaginan ustedes el problema de la persona que quisiera un mapa del continente latinoamericano y de los pueblos de habla hispana, en el que se incluyeran todos los monumentos, santuarios y ermitas dedicados a María?

El primer problema sería la gran dimensión que debería tener ese mapa. Pero la dificultad principal sería ponerlos todos, pues después de mucha investigación es muy posible que nos encontráramos, perdidos en cualquier pueblecito, camino o montaña, muchos sitios dedicados a María que no se habían incluido.

¿Habría algún lugar en la tierra en el que pudieran reunirse todas las mujeres hispanas que tienen un nombre de María?

Y si quisiéramos contar cuántas imágenes y cuadros hay en las casas de las familias hispanas . . .

Sí, es verdad, nuestros padres han sabido descubrir en María, la mujer de nuestra raza, modelo de fe y de virtudes cristianas.

Algunos piensan que esta devoción a María en nuestros

pueblos, ha sido exagerada, pero esto no es verdad. No, nunca sería suficiente nuestro amor a María y nunca podremos decir que es demasiada nuestra admiración por la mujer que Dios ha elegido como Madre suya y también nuestra.

Ciertamente han existido y existen desviaciones en la devoción a la Virgen, y esto sí, debemos tratar de corregirlo. Estas desviaciones vienen, sobre todo, cuando queremos considerar a María como una "diosa", separada de Jesús y de Dios, nuestro Padre. Esto no es bueno porque precisamente María es grande no por sí misma, sino porque Dios la hizo así. Ella misma se lo decía a su prima Isabel:

> "El Todopoderoso ha hecho en mí grandes cosas. Su nombre es Santo."
>
> Lc. 1, 49

Hoy los católicos, deberemos continuar y aumentar nuestras alabanzas, devoción y amor a la Mujer de Nazareth. Pero también deberemos corregir cualquier falsa interpretación o devoción. Deberemos seguir llamándola "DICHOSA". Para esto es necesario que profundicemos más en su vida y en su historia.

Es necesario que vayamos a la Biblia, sobre todo a los Evangelios y busquemos la verdadera realidad, la persona humana de carne y hueso que se llamó María.

¿Quién fue María de Nazareth?

Los evangelios nos dan muy pocos datos externos de la vida de María. S. Mateo y S. Lucas son los que más hablan de ella, sobre todo cuando narran la infancia de Jesús.

Sin embargo, a pesar de tener tan pocos datos, sí tenemos palabras y escenas que son suficientes para que podamos profundizar y conocer mejor el interior de esa mujer a la que también llamamos MADRE.

1. Dios Cambia los Proyectos de María

María y José estaban prometidos para contraer matrimonio. Seguramente que los dos eran muy jóvenes. Ella es posible que no tuviera más de quince años. Los evangelios no nos dicen nada de su edad, pero esta era la costumbre de aquellos pueblos. Precisamente el hecho de que los Evangelios no nos digan nada en contra es suficiente fundamento para que podamos suponer que María y José tenían el proyecto de casarse y establecer una familia como otra cualquiera de su época.

Precisamente porque las muchachas solían prometerse cuando eran muy jóvenes, estaban todavía un tiempo en casa de sus padres, antes de comenzar a convivir con su esposo.

María, aunque estaba ya prometida con José, vivía todavía con sus padres. Aquella jovencita pasaría, sin duda muchos ratos, pensando en su futuro matrimonio, sus hijos, haciendo proyectos.

En este tiempo Dios interviene en su vida y le propone otros proyectos en los que nunca había pensado María:

> "Vas a quedar embarazada y darás a luz un hijo, al que pondrás por nombre Jesús."
>
> Lc. 1, 31

María no comprende este anuncio de Dios y pregunta:

> "¿Cómo podré ser madre si no tengo relación con ningún hombre?"
>
> Lc. 1, 34

La respuesta de Dios debió resultarle muy oscura a aquella muchachita sencilla:

> "El Espíritu Santo descenderá sobre ti y el poder divino te cubrirá con su sombra; por eso tu hijo será Santo y con razón lo llamarán Hijo de Dios."
>
> Lc. 1, 34-35

María responde con estas palabras llenas de fe y confianza en Dios, y dejándose adentrar en el misterio que, sin duda, no comprendía:

"Dijo María: Yo soy la esclava del Señor, que haga en mí lo que has dicho".

Lc. 1, 38

2. Conflicto Entre la Fe y la Vida

Si tomamos este episodio superficialmente, nos puede parecer que a María todo le estaba saliendo muy fácil. Pero no fue así.

Aquella muchachita, preñada de Dios y de fe, deberá ahora enfrentarse a la vida. Ella poco a poco va sintiendo en su cuerpo los signos de la maternidad. Ve como su vientre se va ovalando.

¿Cómo va a decírselo a sus padres? ¿Podrá creerle su esposo? ¿Qué va a pensar la gente? ¿Será apedreada a las afueras del pueblo, como mandaba la ley, por ser considerada infiel a José?

¡Cuántas preguntas y preocupaciones tuvieron que pasar por su cabeza y por su joven corazón!

Pero Ella ha dicho SI a Dios. Un SI incondicional. Confía en El y no puede hacer más que guardar silencio y sufrir en su soledad de adolescente.

Efectivamente, el Evangelio nos dice que José, al darse cuenta de que su futura esposa estaba embarazada, piensa dejarla. No va a denunciarla porque en él prevalece el amor sobre "el machismo", pero la abandonará.

Sí, tuvieron que ser meses muy duros para aquella pareja. Muchas veces se habrán cruzado sus miradas, las de él, llenas de tristeza e incomprensión, las de ella, llenas de limpieza y misterio. Podían mirarse, pero no podían comunicarse.

Dios interviene y le dice a José que crea a María, que ella no le ha sido infiel; lo que hay en ella es fruto de la absoluta fidelidad a Dios.

"José, su esposo, era un hombre excelente, y no queriendo desacreditarla, pensó firmarle en secreto un acta de divorcio.

Estaba pensando en esto, cuando el ángel del Señor se le apareció en sueños y le dijo: 'José, descendiente de David, no temas llevar a tu casa a María, tu esposa, porque la criatura que espera es obra del Espíritu Santo. Y dará a luz un hijo, al que pondrás el nombre de Jesús, porque él salvará a su pueblo de sus pecados.' "

Mt. 1, 19-21

3. Dios Parece Ausente

María y José ya están unidos en matrimonio. Dios les ayudó a recuperar su amor y comunicación. Ahora sus miradas, sí pueden encontrarse para perderse unidas en el silencio del misterio de su matrimonio.

Ahora tienen que ir a Belén juntos para inscribirse en el censo. S. Lucas nos lo dice así:

"En esos días, el emperador dictó una ley que ordenaba hacer un censo en todo el imperio. Este primer censo se hizo cuando Quirino era gobernador de la Siria. Todos iban a inscribirse a sus ciudades. También José, como era descendiente de David, salió de la ciudad de Nazareth de Galilea y subió a Judea, a la ciudad de David, llamada Belén, para inscribirse con María, su esposa, que estaba embarazada."

Lc. 2, 1-5

A María le llega la hora de dar a luz. Buscan sitio, piden a Dios que les ayude. Pero los hombres no parecen compadecerse de aquella joven pareja pobre, y Dios parece ausente. Tampoco El parece preocuparse de sus problemas.

"Cuando estaban en Belén, le llegó el día en que debía de tener su hijo. Y dio a luz a su primogénito, lo

envolvió en pañales y lo acostó en un pesebre,
porque no habían hallado lugar en la posada."

Lc. 2, 6-7

Aquella pareja sencilla no se queja y se enfrenta llena de fe y amor al misterio de reconocer a Dios encarnado en una criatura indefensa que llora y duerme en un pesebre.

4. *Una Familia de Emigrantes*:

El Rey Herodes quiere matar al Niño porque ha oído que será poderoso. María y José tienen que dejar su tierra y emigrar con el Niño a Egipto.

Allí habrán tenido que afrontar todas las dificultades de la emigración: discriminación, incomprensión de la lengua, búsqueda de trabajo y vivienda . . .

Es posible que ante esta situación también ellos se hayan hecho la pregunta que tantas veces nos hacemos nosotros ante las dificultades: ¿Por qué Dios no soluciona los problemas de otro modo? ¿Por qué parece dejarles solos? ¿Por qué tiene que parecer más poderoso Herodes que el mismo Dios? ¿Por qué tanta injusticia?

Pero María y José aceptaban la voluntad de Dios con sencillez. Seguramente que Ella tendría que repetirse muchas veces aquello que unos meses atrás le había dicho a Dios:

"Yo soy la esclava del Señor, que haga en mí lo que has dicho".

5. *Crisis de Comprensión*

No sabemos cuándo volvieron de Egipto. Sólo sabemos que lo hicieron cuando ya no peligraba la vida del niño y que se fueron a vivir a Nazareth.

Cuando Jesús tenía doce años, fueron al Templo como todos los años. Sin duda que fue esta una fecha importante en la conciencia y en el corazón de María:

"Los padres de Jesús iban todos los años a Jerusalén para la fiesta de la Pascua y cuando cumplió doce años fue también con ellos para cumplir con este precepto. Al terminar los días de fiesta, mientras ellos regresaban, el niño Jesús se quedó en Jerusalén sin que sus padres lo notaran. Creyendo que se encontraba en el grupo de los que partían, caminaron todo un día, y después se pusieron a buscarlo entre todos sus parientes y conocidos. Pero como no lo hallaron, prosiguiendo su búsqueda, volvieron a Jerusalén. Después de tres días lo hallaron en el Templo, sentado en medio de los maestros de la Ley, escuchándolos y haciéndoles preguntas. Todos los que lo oían quedaban asombrados de su inteligencia y de sus respuestas. Al encontrarlo, se emocionaron mucho y su madre le dijo: "Hijo, ¿por qué te has portado así? Tu padre y yo te buscábamos muy preocupados". El les contestó: "¿Y por qué me buscaban? ¿No saben que tengo que estar donde mi padre?"

Pero ellos no comprendieron lo que les acababa de decir. Volvió con ellos a Nazareth, donde vivió obedeciéndoles. Su madre guardaba fielmente en su corazón, todos estos recuerdos."

Lc. 2, 41-51

De nuevo María ante el misterio, tiene que acudir a la fe y al silencio.

Más tarde, no sabemos exactamente cuándo, viene la muerte de su esposo. La muerte puede aceptarse, pero no es fácil de comprender. ¿Por qué Dios la deja más sola ante el misterio de Jesús?

6. *La Madre de un Predicador*

Los años de la vida pública de Jesús, tuvieron que ser especialmente ricos, pero también duros para María.

De la alegría y satisfacción de ver cómo su Hijo predicaba y hacía el bien, pronto tenía que pasar a la inseguridad y al temor.

Poco a poco va viendo cómo su Hijo es rechazado, sobre todo, por sacerdotes y autoridades religiosas. Sabe que hay intentos de matarle. El primero que conocemos fue precisamente en Nazareth.

De nuevo María tenía que vivir la tensión de su fe: ¿Debería creer lo que predicaba su Hijo o lo que los sacerdotes y fariseos interpretaban?

Ahora más sola que nunca, se enfrenta al misterio en oración y silencio.

Pero además escuchó frases difíciles de comprender para una madre.

Un día, cuando Jesús predicaba, le avisan que están allí su Madre y sus parientes. La respuesta de Jesús, sin duda, sonó dura a María:

"¿Quién es mi madre y quiénes son mis parientes? Y mirando a los que estaban sentados en torno a El, dijo: Aquí están mi madre y mis parientes. Porque todo el que hace la voluntad de Dios, ese es mi hermano, mi hermana y mi madre." (Mc. 3, 33-35).

Evidentemente que esta frase no iba contra María. Ella era la que mejor cumplía la voluntad de Dios, pero, ¿comprendió María esto en aquel momento?

Otro día, una mujer al escuchar cómo hablaba Jesús, exclamó: "Dichosa la que te dio a luz y te amamantó". Jesús le contestó:

"Dichosos sobre todo, los que escuchan la palabra de Dios y la practican." (Lc. 11, 27-28).

¿Suponían estas palabras, que Jesús apreciaba más a sus discípulos que a su Madre?

Lo que quiere decir Jesús es que para El lo que vale no es el parentesco carnal, sino hacer la voluntad de Dios, seguir el Evangelio del Padre.

En este sentido María es más dichosa que todos, no por ser la Madre de Jesús, sino por ser "la esclava del Señor", es decir, la que hace todo lo que Dios pide de ella.

Pero deberemos hacernos la misma pregunta de antes: ¿Qué sintió María al escuchar estas frases en boca de su Hijo? No lo sabemos, pero podemos suponer que para ella, como para cualquier madre, debieron resultar duras. Si así fue, habrá tenido que tomar la misma actitud que años atrás había adoptado cuando le encontró en el Templo: Guardar todo esto en su corazón y vivir en silencio el drama de su fe.

7. La Madre de "Un Rebelde Blasfemo"

Los momentos más duros de la vida de María, como madre y como mujer de fe, fueron las horas de la pasión y muerte de Jesús.

Los romanos le condenaban por "rebelde", las autoridades religiosas judías, por "blasfemo".

> "Junto a la cruz de Jesús estaba su madre y la hermana de su madre, y también María, esposa de Cleofás, y María de Magdala. Jesús al ver a la madre y junto a ella su discípulo más querido dijo a la Madre: "Mujer, ahí tienes a tu hijo". Después dijo al discípulo: "Ahí tienes a tu madre". Desde ese momento el discípulo se la llevó a su casa." Jn. 19, 25-27

María de Nazaret es ahora una mujer rondando los cincuenta años. Su rostro está curtido por el sol, la pobreza, la soledad y el dolor. Su belleza no es juventud, es sufrimiento y FIDELIDAD.

¿Qué pensaba El¹ en esos momentos? Normalmente ante la muerte se siente dolor y se mira al pasado. Sin duda que todos aquellos recuerdos que había ido conservando en su corazón, se juntaron ahora para hacer este momento más incomprensible.

¿Cómo comprender la muerte de un hijo joven, calumniado, azotado, crucificado, acusado de impostor de su religión, traidor a su pueblo . . .?

¿Qué se dirían al juntarse la mirada de la Madre y del Hijo?, ojos con hambre y sed de justicia, perdidos en el "desierto" del Calvario.

No, María no podía comprender todo aquello, pero no tenía derecho a protestar la que había dado al Padre un SI incondicional. Sólo podía llorar, guardar silencio, y creer en Dios contra toda esperanza.

8. *La Madre del Resucitado*

La resurrección de Jesús tuvo que causar en María el mayor gozo que madre alguna haya podido sentir. Los Evangelios no nos dicen nada de ninguna aparición de Jesús a María. Sin embargo esto no quiere decir que no haya habido estas apariciones. En este caso sucede lo mismo que podemos ver a lo largo de los Evangelios, María practica una vez más su "catecismo del silencio".

María es la única Madre que ha podido ver a su Hijo sobrevivir, vencer a la muerte. Aquel cuerpo que había tenido en sus brazos en la cueva de Belén, que hacía unos días lo había tenido de nuevo en su regazo, muerto y destrozado, ahora lo ve glorioso y resucitado.

Cuando le sucede algo bueno o malo a un hijo, normalmente también es como si le sucediera a su madre. Ahora el cuerpo resucitado de Jesús, es algo también de María. Es carne y sangre que Ella engendró y llevó en sus entrañas.

Quizás en estos momentos habrá repetido aquellas palabras que había dicho en su visita a Isabel:

"Siempre compasivo —el Señor— socorrió a Israel, su servidor, como lo había prometido a nuestros antepasados, a Abraham y a sus descendientes para siempre."

Pero la resurrección de Jesús no sólo era socorro y compasión de Dios, era también triunfo y manifestación del poder del Padre:

"Su nombre es Santo —había dicho también María— y su compasión con los que le temen pasa de padres a hijos. Manifestó su fuerza vencedora, y dispersó a los hombres de soberbio corazón."

9. *La Madre de la Iglesia*

Este no es un título piadoso que le hayamos dado los cristianos a María, es una realidad.

Jesús desde la cruz al decirle "Mujer ahí tienes a tu hijo", señalando a S. Juan, el discípulo que estaba junto a la cruz de Jesús, la entrega como Madre también a todos los seguidores de Jesús. A todos los que le acompañen también junto a la cruz. Sí, Ella es realmente Madre del pueblo de Dios, Madre de la Iglesia.

El Concilio Vaticano II nos lo dice así:

"La Santísima Virgen, predestinada desde toda la eternidad como Madre de Dios juntamente con la encarnación del Verbo, por disposición de la divina Providencia, fue en la tierra la Madre excelsa del divino Redentor, compañera singularmente generosa entre todas las demás criaturas y humilde esclava del Señor. Concibiendo a Cristo, engendrándolo, alimentándolo presentándolo al Padre en el Templo, padeciendo con su Hijo cuando moría en la cruz cooperó en forma enteramente impar a la obra del Salvador con la obediencia, la fe, la esperanza y la ardiente caridad con el fin de restaurar la vida sobrenatural de las almas. Por eso es nuestra Madre en el orden de la gracia."

Lumen Gentium VIII, 61

Nuestra Iglesia, nosotros el Pueblo de Dios, tenemos una madre sencilla, con cara de campesina.

Esa es la Mujer que estaba acompañando a los apóstoles, mientras esperaban la venida del Espíritu Santo. No era una mujer vieja, en sus mejillas podrían verse marcadas las huellas del dolor, de la vida dura, de su fidelidad y su lucha; y en sus ojos se reflejaba su amor, limpieza de corazón y la alegría del que espera ver a Dios. Ese rostro es el que inspira aliento y da calor a la fe de aquella comunidad, nuestra Iglesia, que entonces comenzaba.

Palabras de María

Hemos visto que la vida de María está llena de silencios que nos hablan de su fe y su fidelidad. Pero los Evangelios también nos narran algunas palabras suyas que conviene que recordemos y escuchemos.

1. *Palabras de Oración*

En la Anunciación aparece orando, hablando con Dios: le escucha, le pregunta y acepta su voluntad con un SI incondicional al Misterio.

Más tarde cuando visita a su prima Isabel, la escuchamos en el Magnificat de nuevo en una oración de alabanza y acción de gracias al Padre:

"Mi alma alaba al Señor
y mi espíritu se alegra en Dios, mi Salvador
porque se ha dignado mirar a su humilde esclava
y desde hoy todas las generaciones me proclamarán
    dichosa
pues el Todopoderoso ha hecho en mí grandes cosas."

(Lc. 1, 46-49)

Pero también en esta oración María denuncia el pecado de los ricos y anuncia un Dios Liberador de los pobres:

"Derribó a los pobres de sus tronos

186

y elevó a los humildes.
Llenó de bienes a los hambrientos
y despidió a los ricos con las manos vacías."

(Lc. 1, 52-53)

2. *Palabras de Servicio*

Estaba en una boda. Faltaba el vino. Sin duda que era una fiesta de pobres. ¿Creen ustedes que podría faltar el vino si fuera de ricos?

María cae en la cuenta, es sensible a la vergüenza que va a pasar aquella familia amiga. Quiere servir, quiere hacer algo. Se acerca a Jesús y le dice:

"No tienen vino."

Nunca pidió nada para ella, pide para los pobres.

3. *El "Evangelio" de María*

Si les dijera que María un día predicó, les extrañaría. Sin embargo, es verdad. María un día predicó un "Evangelio". Su sermón fue muy breve, pero en él nos propone todo un programa de lo que tiene que hacer un cristiano, un seguidor de Jesús.

Fue precisamente en las bodas de Canaán. Después de exponer a Jesús la falta de vino en la fiesta, a pesar de haber escuchado aquellas palabras de Jesús:

"Mujer, ¿qué nos va a ti y a mí?"   (Jn. 2, 4)

María dice a los servidores:

"Hagan lo que El les diga".   (Jn. 2, 5)

He aquí todo un programa de vida cristiana. Este es un mensaje de la Madre a la que veneraron nuestros padres en una imagen de tela o madera, con rostro blanco o moreno. Y este es también el mensaje que nos deja a nosotros para que orientemos nuestra vida hacia la honradez, la sinceridad y el amor y orientemos también hacia ahí, la vida de nuestros hijos de generación en generación:

"Hagan lo que El les diga."

María, Modelo de Identidad Cristiana

1. *"Dichosa Tú que has Creído"* (Lc. 1, 45)

Estas palabras pronunciadas por Sta. Isabel en la visita que María le hiciera para felicitarla por el próximo nacimiento de Juan Bautista, son importantes y nos ayudan a conocer mejor el interior de María, pues no son simplemente palabras de Isabel, es el Espíritu Santo que habla por su boca.

María no es DICHOSA principalmente por ser la Madre de Dios. Es dichosa porque ha creído, ha confiado y esperado en Dios. Porque ha vivido en oscuridad y silencio la doctrina del Reino anunciado por Jesús.

Es dichosa porque siendo pobre, Dios la hizo Madre de todos los ciudadanos del Reino;

porque ha llorado, Dios la consoló, mostrándole a su Hijo Resucitado;

porque ha sido paciente y silenciosa, Dios ha hecho de Ella la más querida y la mujer más importante de esta tierra;

porque ante su Hijo elevado en la cruz, sintió hambre y sed de justicia, Dios le mostró a su Hijo elevándose al Cielo, vencedor del pecado y de la muerte;

porque ha sido buena y compasiva, Dios la hizo Inmaculada;

porque ha tenido siempre su corazón limpio, Dios la llevó en su Asunción anticipadamente a vivir con El y a mostrarle su rostro cara a cara;

porque fue pacífica, humilde y sencilla Dios la hizo Madre suya y Madre de todos los hombres y mujeres de cualquier raza y lugar de esta tierra;

porque vivió y creyó en las bienaventuranzas, Dios la hizo DICHOSA para siempre.

María, nuestra Madre, es la primera de nuestra raza y el único ser de nuestra raza, que goza ya de la plenitud del amor y la dicha de Dios.

2. *María y el Pueblo*

A lo largo de la historia de la Iglesia, y muy concretamente, de la historia de la Iglesia en los pueblos latinos, María ha sido el modelo de identidad cristiana.

En Ella hemos ido encontrando el modelo de nuestra fe y fortaleza ante el sufrimiento de nuestro "desierto" que es muchas veces esta vida, valle de lágrimas.

Hablábamos al comienzo de este capítulo, sobre la cantidad de monumentos y santuarios marianos que existen en Latinoamérica y los pueblos hispanos. Pero profundicemos un poco más: ¿Qué ha encontrado el pueblo en María?

El pueblo ha intuido que María seguía encarnando a Dios en los pobres, los oprimidos, los que no tienen voz. Ha encarnado a Dios en todos pero muy especialmente en esa humanidad silenciosa, como Ella, que vive el misterio de su vida en la oscuridad y en el desconocimiento de los poderosos.

Y esto no son palabras bonitas solamente. Detrás de estas palabras está la historia de la devoción de nuestros pueblos a María.

Si recorremos las distintas crónicas de los santuarios marianos encontraremos, que en la mayor parte de ellos no existe influencia alguna de las autoridades de la Iglesia, muchas veces sólo hay oposición. Pero es el pueblo sencillo y que sufre la opresión, el que lucha y al final consigue esos templos.

Fue un pobre anciano como en el caso de nuestra Señora de Altagracia, patrona de Santo Domingo; o unos pescadores como en la "Aparecida" Patrona del Brasil; la aclamación de todo el pueblo como sucedió en la Virgen de la Providencia, patrona de Puerto Rico; el diálogo con dos indios y un criollo, en el que les decía: "Yo soy la Virgen de la Caridad", la ha llevado a ser patrona del pueblo cubano: Nuestra Señora de la Caridad del Cobre; la fe de un cacique de unos indios es el comienzo de la devoción a Nuestra Señora de Coromoto, patrona de Venezuela; unida a la liberación del pueblo chileno, es aclamada como "Virgen del Carmen". Todos los pueblos tienen su historia unida a María con el rostro liberador de Dios: En Bolivia, la Virgen de Copacabana; en Argentina, la Virgen de Luján; en Colombia, la Virgen de Chichinquirán; en Costa Rica, Nuestra Señora de los Angeles; en el Ecuador, Nuestra Señora del Inmaculado Corazón de María; en El Salvador, Nuestra Señora de la Paz; en Guatemala, Nuestra Señora del Rosario; en Haití, Nuestra Señora del Perpetuo Socorro; en Honduras, Nuestra Señora de Suyapa; en Nicaragua, Nuestra Señora de la Purísima Concepción; en Paraguay, Nuestra Señora de Caacupé; en Perú, Nuestra Señora de las Mercedes; en Uruguay, Nuestra Señora de los 33 Orientales; en Panamá, la Virgen de la Asunción; en España, la Virgen del Pilar.

Pero quizás, el ejemplo más claro de esta Mujer reflejo del rostro liberador de Dios es Nuestra Señora de Guadalupe, patrona de México y de todos los pueblos del continente latinoamericano.

Sí, el caso de la Virgen Morena de Guadalupe, es todo un ejemplo claro de María como Mujer que encarnó de nuevo a Jesús en la cultura latinoamericana, con rostro de liberación.

Era un pobre indio que se enfrentaba a los poderosos de la iglesia y del gobierno, Juan Diego. María pide un templo en las ruinas de otro quemado y destruido, procedente de la religión pagana, para "poder mostrar y comunicar todo mi amor, compasión, ayuda y defensa a todos los habitantes de esta tierra . . . escuchar sus quejas y socorrer sus miserias, penas y sufrimientos." Estas palabras de María, tal como se nos cuentan en la crónica, no son más que una resonancia, un eco de aquellas que Dios dijera a Moisés, desde la zarza ardiendo.

Reflejan como al Dios Liberador, con "Rostro Materno", acento del pueblo y Voz de Mujer.

3. *De María a Jesús*

El amor y la devoción a María, no pueden quedarse en Ella, debe terminar en Jesús.

Los poderosos y ricos tienen que escuchar su palabra profética que denuncia: "Derribó a los poderosos de sus tronos". María no quiere hijos opresores.

Los pobres deberán escuchar sus palabras de justicia y esperanza:

"Y elevó a los humildes". María tampoco quiere hijos oprimidos. No, María no quiere ni opresores, ni oprimidos. Ella quiere hermanos, por eso de nuevo todos tenemos que escuchar de sus labios:

"HAGAN LO QUE JESUS LES DIGA."

Reflexión y Oración

63. Que se Haga en Mí, Según la Voluntad del Padre

Todo será por obra de la tierna bondad de nuestro Dios, que nos trae del cielo la visita del Sol que se levanta para alumbrar a aquellos que se encuentran entre tinieblas y sombras de muerte y para guiar nuestros pasos por el camino de la paz.

Lc. 1, 78-79

Nuestra ciudad está llena de sufrimientos: enfermedades, falta de trabajo, muerte de seres queridos, soledad, mucha soledad...

Cuando el dolor nos atenaza solemos recurrir a Dios. Muchas veces hemos visto su mano y su ayuda, pero otras, nos daba la impresión de que no nos escuchaba o de que nos estaba castigando.

Uno de los títulos que le damos a María es el de NUESTRA SEÑORA DE LOS DOLORES.

Recordemos sus primeras crisis con José, la pobreza en la que tuvo que dar a luz a su Hijo, su condición de emigrante en Egipto, para salvar la vida de Jesús, que ya entonces comenzaba a ser perseguido por los poderosos. Parémonos unos momentos en aquellas escenas del Calvario: La madre junto a su Hijo crucificado y moribundo. Más tarde con el Hijo en sus brazos ensangrentado, salivado, azotado... Muerto.

María tuvo una vida dura. Sufrió mucho, pero su dolor no fue porque Dios no escuchara sus oraciones, o porque quisiera castigarla. Sufrió porque era necesario aceptar la voluntad del Padre, aunque ésta se llamara dolor.

Pero lo grande de María no fue el que haya sufrido tanto, sino el que a pesar de todo, haya creído y haya seguido fiel a su vocación; fiel a aquellas palabras que le dijera al Angel en el día de su Anunciación: YO SOY LA ESCLAVA DEL SEÑOR, QUE SE HAGA EN MI SEGUN SU VOLUNTAD.

Madre de todos, pero muy especialmente de los que más sufren. Mira nuestro dolor: Madres y padres que tienen que contemplar cómo sus hijos se pierden en la droga y en la delincuencia; esposas aguantando cada noche los caprichos de sus maridos borrachos, trabajadores humillados en el trabajo, víctima de explotadores y maniáticos racistas, jóvenes hispanos discriminados en las escuelas, niños abandonados; mira el dolor de tantos enfermos y ancianos y de tantas personas que sienten en su corazón la agonía de la soledad ...

Hoy te pido sí, que calmes nuestro dolor, pero sobre todo, te pido que nos enseñes a decir como Tú: QUE SE HAGA EN MI SEGUN LA VOLUNTAD DEL PADRE.

64. "El Espíritu Santo Descenderá Sobre Ti"

> *Todo esto ha pasado para que se cumpliera lo que había dicho el Señor por boca del Profeta Isaías: "Sepan que una virgen concebirá y dará a luz un hijo y los hombres lo llamarán Emanuel, que significa: Dios-con-nosotros."*
>
> Mt. 1, 22-23

Me he encontrado con algunas personas que tienen dificultades en admitir que María haya sido virgen.

¿Cómo es posible ser virgen y madre?

Significa esto que el resto de las madres, que no son vírgenes, ¿son malas?

¿Significa que las relaciones sexuales en el matrimonio son algo indigno?

Para respondernos a estas y otras muchas preguntas, una vez más deberemos acudir a la Biblia, y fiarnos más de la Palabra de Dios que de nuestras opiniones.

No. Ser madre no es malo y las relaciones sexuales en el matrimonio de ningún modo son algo indigno.

La Biblia nos dice bien claro que Dios creó la sexualidad, que la maternidad y la paternidad no son más que cumplir con un mandato de Dios; pero además, sabemos que todo lo creado por Dios, también la sexualidad, El mismo vio que era buena.

El que no comprendamos que María haya sido virgen, es normal. Tampoco Ella lo comprendía y por eso preguntó a Dios:

"¿Cómo podré ser madre sino tengo relación con ningún hombre?"

María escuchó a Dios, no comprendió pero creyó y aceptó la fuerza del Espíritu Santo.

Esta deberá ser nuestra actitud también. Aunque no comprendamos, nuestra fe en el Espíritu Santo deberá llevarnos a creer que María es Madre de Jesús, el Hijo de Dios, y es también Virgen.

María, hoy te pedimos especialmente por todas las madres de nuestra tierra, que es también tu tierra.

Ayuda también a los muchachos y muchachas que mañana serán padres y madres. Que el paganismo, con que muchas veces se habla y se utiliza el sexo, no manche su corazón. Que sepan ver en la virginidad un valor y no una prohibición o algo anticuado que practican las personas que no saben disfrutar de la vida.

Madre, te pedimos también por todas aquellas personas que, como Tú, han consagrado su cuerpo al Señor.

Protégenos a todos y ayúdanos a imitarte.

65. Madre de Dios

Lc. 1, 26-38

Se ha ido metiendo, también en algunos católicos, la duda de si María fue la Madre de Dios.

Hay gente que prefiere decir que sólo fue la Madre de Jesús.

Esto no lo hacen por rebajar a María, sino con la buena intención de dejar a Dios como más alto.

La intención no es mala, pero sí las consecuencias. Veamos: Si María fue la Madre de Jesús, pero no la Madre de Dios, entonces ¿quién fue Jesús? ¿Podemos seguir afirmando que Dios se hizo Hombre?

Los católicos tenemos que seguir llamando a María, Madre de Dios.

Nos lo han dicho los concilios y los Papas. Pero sobre todo nos lo dice la Biblia:

"El Espíritu Santo descenderá sobre Ti y el poder divino te cubrirá con su sombra; por eso tu hijo será santo y con razón lo llamarán HIJO DE DIOS."

Lc. 1, 34-35

La palabra de Dios nos lo dice con claridad y nosotros debemos ser humildes y aceptarla, aunque como en este caso, no la comprendamos.

Madre de todos, hoy te pedimos por nuestra unidad. Somos muchos los grupos cristianos. Todos queremos seguir la doctrina de tu Hijo Jesús pero, por muy diversas razones, nos hemos ido dividiendo con el paso del tiempo.

Sin embargo, todos sabemos que Jesús nos pidió unidad.

Despierta en todos nosotros humildad y amor para que nos comprendamos y poco a poco vayamos construyendo la unidad.

Madre, reúnenos junto a Ti, como lo hicieras en Jerusalén

con la primera comunidad cristiana, mientras esperaban la Venida del Espíritu Santo.

Que sea de nuevo la fuerza del Espíritu Santo la que nos ayude a creer lo que no comprendemos y a actuar siempre movidos por el amor.

66. El Dios de mi Historia

Lc. 1, 46-55

A veces vivimos con ilusión, esperamos un viaje, una fiesta, la llegada de un ser querido o simplemente una carta.

Otras veces, en cambio, la vida es rutinaria: nos levantamos, desayunamos, vamos al trabajo, volvemos a casa... y así un día y otro. Por dentro de nosotros hay algo que va envejeciendo, porque cuando no se tiene ilusión, todo va haciéndonos más viejos.

Si miramos al pasado, sentimos añoranza al recordar tantos momentos buenos. Si todo fuera como entonces... y fácilmente nos entristecemos.

Cuando en estos momentos alguien se acerca y nos pregunta qué nos pasa, en qué pensamos, quizás respondemos con sequedad: Nada. Y seguimos viviendo el vacío de nuestra historia.

María, en su canto del Magnificat, miró al pasado y se llenó de alegría porque vio a Dios en su vida y en su historia, y por eso dijo así:

"Proclama mi alma la grandeza del Señor,
se alegra mi espíritu en Dios mi salvador."

Lc. 1, 46-47

Y al mirar al futuro, también sintió alegría. Sus palabras fueron esperanza y confianza en Dios. Decía así de El:

"El es Santo, y su misericordia llega a sus fieles generación tras generación."

Lc. 1, 49-50

Madre, que también nosotros, al mirar al pasado, sepamos reconocer en nuestra vida, al Dios de nuestra historia y que como Tú nos alegremos.

Que sintamos la profunda alegría del agradecimiento al Padre que nunca nos ha abandonado. Al que hizo por noso-

tros tantas y tantas cosas buenas . . . y que las recordemos.

Madre, ayúdanos también a contemplar el futuro con ilusión y esperanza, seguros de que la bondad del Señor, nos seguirá acompañando a nosotros y a nuestros hijos de generación en generación.

67. No tienen Vino

Jn. 2, 1-12

María asistía con Jesús a la boda de unos pobres. Faltó el vino. Ella sintió compasión y pena del bochorno por el que iba a pasar aquella familia y pidió a Jesús con estas palabras "No tienen vino" El problema de aquella familia quedó solucionado.

Madre, mira hoy, como lo hicieras en Caná, cuántas cosas le faltan a millones de pobres a lo largo y ancho de este mundo. Y mira de un modo especial a los hispanos que vivimos en este país:

Los niños que no tienen padre.

Las mujeres sin derechos.

Los hombres sin trabajo.

Los ancianos sin ayuda, sin comunicación, con mucha soledad.

Los jóvenes metidos en las "gangas" y en las drogas porque no tienen esperanza.

Madre, somos un pueblo de pobres, pero Tú sabes que todos, aun los más apartados de la Iglesia te invitarían para que compartieras con ellos la fiesta de su boda.

Tú sabes que todo este pueblo, al que tantas cosas le faltan, te quiere, cada hombre y mujer hispano tiene un corazón con el que te ama.

Madre, danos fortaleza para sufrir y luchar.

Danos fe para que llevemos nuestra cruz con esperanza.

68. Mujer

Sin duda que, todavía hoy, la mujer es considerada por muchos y por muchas estructuras de la sociedad, como una persona de segunda categoría. Evidentemente que esto es injusto y también anticristiano.

En el Evangelio de S. Juan las dos veces que sale María con Jesús, El le llama "Mujer". Esta palabra en los labios de Jesús, primero en el episodio de las Bodas de Caná, y después, en la Cruz, debe hacernos reflexionar y limpiarla de todas las esclavitudes e injusticias.

Sí, María fue una mujer y se ha ido presentando a todas las generaciones como modelo de identidad de la mujer cristiana.

Porque María de Nazareth, la mujer, no es la madre que acepta el nacimiento de un hijo calculando la carga económica; en Ella lo que se valora es la aceptación de la vocación y del misterio que tiene que existir en todo acto verdadero de amor.

No es la mujer liberada por las posesiones de las cosas materiales, ni las libertades legales; es la mujer pobre liberada de las riquezas, que libremente acepta una vocación y sus responsabilidades.

No es la mujer que destaca por éxitos particulares, ni por apariencias físicas; es la mujer que se enfrenta a la vida dura, la mayor parte de las veces, sola, sin comprender, pero siempre fiel.

No es la mujer mundana atractiva por la frivolidad, esa que tantas veces nos presentan los medios de comunicación, como modelo de mujer; Ella es la mujer silenciosa y profunda.

No es la mujer amenazada por el tiempo y el envejecimiento; a Ella los días la van acercando a la liberación total.

María de Nazareth no es la mujer paganizada, es la mujer cristiana que sirve, ayuda, acepta la voluntad de Dios, lucha en el misterio y al final se hace ESPERANZA.

Madre, ayuda a tantas y tantas mujeres a las que no se les reconocen sus derechos de persona humana. Mujeres esclavas de la opresión de mil y mil formas.

Ayuda también a aquellas que confunden liberación con paganismo, con libertinaje, falta de responsabilidad y los innumerables modos sutiles de prostitución que existen en nuestra sociedad.

Que Tú seas de verdad el verdadero modelo de mujer liberada y cristiana.

69. Misterio, Vida, Dolor y Esperanza

Su padre y su madre estaban mara-
villados por todo lo que decía Si-
meón del niño. Simeón los felicitó
y después dijo a María, su madre:
"Mira, este niño debe ser causa,
tanto de caída como de resurrec-
ción, para la gente de Israel. Será
puesto como una señal que muchos
rechazarán, y a ti misma una espa-
da te atravesará el alma. Pero en
eso los hombres mostrarán clara-
mente lo que sienten en sus cora-
zones."

Lc. 2, 33-35

El rosario fue una devoción muy arraigada en la historia de nuestros antepasados, pero hoy no lo es tan frecuente entre nosotros.

¿El rosario en familia y la televisión . . .? ¿El rosario en la Iglesia? Es aburrido; siempre se repite lo mismo: "ruega por nosotros, pecadores; ruega por nosotros, pecadores . . ."

No, el rosario no es aburrido. El rosario es una plegaria desde nuestra existencia, recordando la vida de María.

Por eso decimos MISTERIO, porque su vida como la nuestra es MISTERIO.

Decimos GOZOSOS, DOLOROSOS y GLORIOSOS . . . eso fue la vida de María:

Un profundo gozo, como cuando nació Jesús, cuando le presentó en el Templo, cuando le enseñaba a hablar, cuando le veía sonreír . . . era el gozo de una madre ante su hijo.

A veces su vida fue dolor, como cuando se enteró que prendieron a Jesús, cuando lo vio crucificado, cuando escuchó el último suspiro de su existencia, cuando le tuvo en sus brazos, atormentada e impotente ante la muerte.

Pero también fue gloria y esperanza al ver a su Hijo resucitado, al sentir la presencia del Espíritu, no sólo en Ella, sino también en la comunidad, al subir al Cielo y comenzar a vivir la definitiva y eterna felicidad.

Nuestra vida es también un Rosario. Es también MISTERIO, ALEGRIA, DOLOR y ESPERANZA.

Madre, pero somos débiles y la vida es dura, por eso nunca te diremos suficientes veces: RUEGA POR NOSOTROS, PECADORES.

En la familia hemos aprendido a hablar,
a sonreír y también hemos aprendido
que Dios es nuestro Padre.

VI

Reflexión Final

Mi Pueblo

Somos un Pueblo

Jesús predicó el Reinado de Dios como realidad y esperanza de una NUEVA SOCIEDAD, fue rechazado, condenado, crucificado y murió.

Normalmente la vida de un hombre termina con su muerte, en el caso de Jesús no fue así; Jesús resucitó. Más tarde subió a los Cielos. Pero esto no significaba que nos dejara abandonados. El había prometido a los discípulos antes de morir:

"Yo estaré con ustedes hasta la consumación de los siglos."

Por eso, antes de marcharse a los Cielos, encomendó a aquel grupo de hombres y mujeres que esperaran la venida del Espíritu Santo. El les haría saber cómo tenían que seguir anunciando la Buena Noticia del Reino. El Espíritu habitaría dentro de cada uno.

Y así sucedió. Fue aquel primer Pentecostés, cuando los Apóstoles se sintieron llenos de la fuerza del Espíritu, salieron a las plazas y se pusieron a predicar. Ese día fue "LA AURORA DE LA IGLESIA".

Aquel grupo era un pequeño pueblo formado de distintas profesiones, regiones, edades... con la idea de llevar adelante la tarea comenzada por Jesús.

¿Quién iba a imaginarse que aquellos pobres hombres, sin dinero, y sin cultura, eran el nuevo pueblo de Dios, llamado IGLESIA?

¿Quién iba a pensar que ellos iban a ser los testigos de la vida, muerte y resurrección de Jesús?

¿Quién podría creer que era prudente encomendar el anuncio de una NUEVA HUMANIDAD, el Reinado de Dios, a unos hombres que no entendían de política, ni de relaciones internacionales?

Un día Jesús había dicho:

> "El Reino de los Cielos es semejante al grano de mostaza que un hombre sembró en su campo. Este grano es muy pequeño, pero cuando crece es la más grande de las plantas del huerto y llega a hacerse arbusto, de modo que las aves vienen a hacer sus nidos en sus ramas."
>
> Mt. 13, 31-32

Así fue como comenzó la historia de la Iglesia: Un pueblo pequeño, humilde, pobre, sin medios... pero en él, estaba la semilla sembrada por Jesús y poco a poco fue creciendo. Hoy somos millones, hablamos distintas lenguas, somos de diferentes razas y colores, estamos extendidos a lo largo y ancho de toda la tierra.

Hoy todos esos hombres y mujeres de distintas razas, culturas, y lenguas que creemos en Jesús, formamos UN SOLO PUEBLO, al que llamamos IGLESIA.

La Iglesia es el Pueblo

Hemos utilizado la palabra Iglesia y la palabra Pueblo, pero conviene que aclaremos un poco su relación y significado.

La palabra "Iglesia" se usa en muchos sentidos cuando hablamos y nos comunicamos. Unas veces nos referimos con ella al templo donde se celebran los actos litúrgicos; decimos "voy a la iglesia", cuando en realidad lo que queremos expresar es que vamos a un templo. Otras veces por "Iglesia" entendemos las personas que pertenencen a la Jerarquía: Decimos "la Iglesia está con los pobres", o "la Iglesia está con los ricos", etc., nos referimos al Papa, Obispos, Sacerdotes . . .

Cuando hablamos así nos entendemos, y no puede decirse que estemos utilizando la palabra "IGLESIA" de un modo completamente incorrecto, pero sí deberemos afirmar que esos no son los auténticos significados que concuerdan con el sentido que a esta palabra se le dio en el Nuevo Testamento, en la Comunidad Primitiva, ni tampoco en el Concilio Vaticano II.

Iglesia ante todo significa el Pueblo de Dios que camina, trabaja y espera en el Reinado de Dios definitivo. El Concilio Vaticano II lo expresa así:

> "Así como el pueblo de Israel, según la carne, peregrinando por el desierto, se le designa ya como Iglesia (cf. 2 Esdr 13, 1; Num 20, 4; Deut 23, ISS), así el nuevo Israel, que, caminando en el tiempo presente, busca la ciudad futura y perenne (cf Hbr 13 14), también es designado como Iglesia de Cristo (cf Mt 16, 18), por que fue El quien la adquirió con su sangre (cf Act 20, 28), la llenó de su Espíritu y la dotó de los medios apropiados de unión visible y social. Dios formó una congregación de quienes, creyendo, ven en Jesús al autor de la salvación y el

principio de la unidad y de la paz, y la constituyó Iglesia a fin de que fuera para todos y cada uno el sacramento visible de esta unidad salutífera."

Lumen Gentium II, 9

Sí, la Iglesia es un pueblo que cree en Jesús. Pero es un solo pueblo. Con frecuencia leemos o escuchamos frases como ésta: "La Iglesia latinoamericana", "La Iglesia francesa", "La Iglesia americana" . . . son modos de expresarnos, pero de hecho sólo existe una Iglesia y ésta es: EL PUEBLO QUE CREE Y SIGUE A JESUS; que vive con los valores que El predicara en el Sermón del Monte; que defiende y lucha por la justicia, la libertad y el amor, como lo había hecho Jesús; que camina —"Somos un pueblo que camina"— por esta vida que muchas veces es "desierto" y cruz; QUE ESPERA EN LA RESURRECCION.

Mi Familia es Iglesia

El Pueblo de Dios es un conjunto de muchos pueblos y cada pueblo es un conjunto de muchas familias.

Si la Iglesia fuera simplemente una corporación o una sociedad en la que uno se apunta, se le da un carnet, asiste a unas reuniones o compromisos, es posible que la familia no fuera muy importante en esa sociedad. Pero la Iglesia es pueblo vivo que crece, como nos decía Jesús en la Parábola de la Semilla. El lugar normal de crecimiento de la persona humana, es el hogar, LA FAMILIA.

Por eso la familia puede ser considerada como una Iglesia en pequeño; es decir, como un "pueblecito" del Pueblo de Dios.

En la familia se enseña a rezar, se oye hablar de Jesús y de María, se prepara para los sacramentos: bautismo, primera comunión, matrimonio . . .

Antes de saber por la Biblia o por la predicación de los

sacerdotes, normalmente, fueron nuestros padres, abuelas . . . nuestra familia, quien nos habló y nos enseñó a amar y creer en un Dios que nos hizo a todos a su imagen y semejanza, que al vernos en este mundo lleno de esclavitudes, envió a su Hijo a convivir con nosotros y anunciarnos la liberación definitiva: El anuncio del Reinado de Dios.

En nuestra familia hemos aprendido también que en el Cielo tenemos una Madre que con su ayuda y su ejemplo, nos enseña el camino para llegar a Papá Dios. Fue LA FAMILIA quien primero nos anunció la Buena Noticia de Jesús.

Antes de que yo Naciera, Dios ya Estaba en mi Hogar

Cuando nací, recibí muchas cosas: la sangre de mis padres, el cariño de mis hermanos y parientes; me vistieron, me cuidaron . . . mi madre me dio el pecho. Pero allí también estaba Dios esperándome. Dios también era de la familia. Allí estaban sus cuadros, sus imágenes . . . y sobre todo estaba presente en la fe de mis antepasados.

Un día me llevaron a bautizar. Quizás fue para todos un día de fiesta y de alegría. El nombre que me pusieron tenía algo que ver con alguien de mi familia y quizás con un nombre que estuviera muy cerca de Dios: El de un santo o el de María.

Pero, ¿por qué me llevaron a bautizar cuando no era más que un niño o una niña?

Mis padres quisieron darme lo mejor. Me enseñaron a hablar una lengua, me educaron para vivir en la sociedad y también quisieron comunicarme lo que para ellos sin duda era muy importante: Que soy Hijo de Dios. Por eso me bautizaron tan temprano, deseaban que fuera hijo de Dios desde los comienzos de mi vida.

Después ellos continuaron cuidándome. Sobre mí había proyectos y sueños, porque para ellos yo era lo más importante. Muchos padres han tenido que resignarse a que sus sueños no se realizaran; no iba a ser posible que, yo, su hijo o hija, fuera médico o abogado, quizás desde muy pequeño tuve que comenzar a ser simplemente trabajador. Me convertí en uno de tantos millones de niños y niñas que son trabajadores anónimos en los barrios pobres de las ciudades o en el campo. Pero también me enviaban al templo a rezar y a aprender la doctrina.

Un día se preparó toda la familia para una gran fiesta: mi Primera Comunión. Quizás fue también para mí una fecha que quedó en el recuerdo profundo de las cosas agradables.

¿Estaba en los proyectos de mis padres que yo un día dejara mi tierra para hacerme un emigrante? Seguramente que no. No fue su voluntad fue la necesidad de la vida, la falta de medios, la pobreza...

O quizás, ya estaban ellos en este país, habían trabajado para hacerme un futuro mejor, que lo que había sido el pasado para ellos.

Puede que mi familia haya sido ejemplar o puede que haya habido pecados y traiciones; seguramente que fue pobre. En cualquier caso, Dios estaba presente en sus vidas y en sus creencias, en su fe. Dios también trabajaba: protegiendo, perdonando, consolando, dando esperanza...

A lo mejor mi familia no era religiosa, pero como la mayor parte de las familias hispanas lo eran, la religión me llegó también a mí como por "contagio" al tratar con otras personas.

En cualquier caso, si ves tu historia, encontrarás que Dios se te comunicó por medio de otras personas; por tu familia o por otras. Normalmente no has sido tú el que ha descubierto a Dios; El vino a tí con el rostro de otro que fue tu madre, tu abuela, algún antepasado o alguna persona de tu pueblo hispano. Y es que ya, desde antes de nacer, Dios preparaba TU ENCUENTRO CON EL.